W9-DBW-908

Malade

et...

heureux?

Éditrice : Pascale Mongeon
Infographie : Johanne Lemay
Révision : Brigitte Lépine
Correction : Céline Vangheluwe
  et Ginette Choinière

DISTRIBUTEURS EXCLUSIFS :

Pour le Canada et les États-Unis :
MESSAGERIES ADP*
2315, rue de la Province
Longueuil, Québec J4G 1G4
Téléphone : 450-640-1237
Télécopieur : 450-674-6237
Internet : www.messageries-adp.com
* filiale du Groupe Sogides inc.,
  filiale de Québecor Média inc.

Pour la France et les autres pays :
INTERFORUM editis
Immeuble Paryseine, 3, allée de la Seine
94854 Ivry CEDEX
Téléphone : 33 (0) 1 49 59 11 56/91
Télécopieur : 33 (0) 1 49 59 11 33
Service commandes France Métropolitaine
Téléphone : 33 (0) 2 38 32 71 00
Télécopieur : 33 (0) 2 38 32 71 28
Internet : www.interforum.fr
Service commandes Export – DOM-TOM
Télécopieur : 33 (0) 2 38 32 78 86
Internet : www.interforum.fr
Courriel : cdes-export@interforum.fr

Pour la Suisse :
INTERFORUM editis SUISSE
Case postale 69 – CH 1701 Fribourg – Suisse
Téléphone : 41 (0) 26 460 80 60
Télécopieur : 41 (0) 26 460 80 68
Internet : www.interforumsuisse.ch
Courriel : office@interforumsuisse.ch
Distributeur : OLF S.A.
ZI. 3, Corminboeuf
Case postale 1061 – CH 1701 Fribourg – Suisse
Commandes :
Téléphone : 41 (0) 26 467 53 33
Télécopieur : 41 (0) 26 467 54 66
Internet : www.olf.ch
Courriel : information@olf.ch

Pour la Belgique et le Luxembourg :
INTERFORUM BENELUX S.A.
Fond Jean-Pâques, 6
B-1348 Louvain-La-Neuve
Téléphone : 32 (0) 10 42 03 20
Télécopieur : 32 (0) 10 41 20 24
Internet : www.interforum.be
Courriel : info@interforum.be

Dépôt légal : 2014
Bibliothèque et Archives nationales du Québec

ISBN 978-2-7619-3990-4

Gouvernement du Québec – Programme de crédit
d'impôt pour l'édition de livres – Gestion SODEC –
www.sodec.gouv.qc.ca

L'Éditeur bénéficie du soutien de la Société de
développement des entreprises culturelles du
Québec pour son programme d'édition.

 Conseil des Arts **Canada Council**
du Canada **for the Arts**

Nous remercions le Conseil des Arts du Canada de
l'aide accordée à notre programme de publication.

Nous reconnaissons l'aide financière du gouvernement du Canada par l'entremise du Fonds du livre
du Canada pour nos activités d'édition.

Lucie Mandeville

Malade

et...

heureux?

Huit attitudes qui
ont transformé des vies
(et qui pourraient changer la vôtre)

LES ÉDITIONS DE
L'HOMME
Une société de Québecor Média

*Ce livre, je l'ai d'abord écrit pour mon père qui, dans la mort,
est devenu un héros, et pour ma mère que j'aime et qui tient le coup.*

*Je l'ai aussi écrit pour toi, Jérémi, mon trésor.
À travers ce livre et les autres, je cherche à te dire que je serai toujours là
pour te protéger et éclairer ta route.*

*Finalement, j'ai voulu semer de l'espoir
dans le cœur de ceux qui souffrent.
Que ce livre les accompagne.*

Introduction

Là où a débuté ma quête

Je suis psychologue et auteur, et j'ai passé les dernières années à parler principalement de ce qui peut nous apporter un *bonheur extraordinaire* et nous inciter à voir le bon côté des choses. Mais je ne suis pas *que* ça, une spécialiste qui cause de bonheur, et je ne vis pas au septième ciel en permanence.

L'idée du présent livre est née d'un des moments de mon existence où le bonheur m'a échappé. Il est le fruit d'une quête que j'ai amorcée à la suite d'une expérience souffrante au cours de laquelle j'ai vu mon père gravement malade dépérir, puis mourir. Et j'en reste profondément bouleversée.

Ma quête a donc commencé au chevet de mon père, mais elle s'est poursuivie au fil des années qui ont suivi sa mort. J'ai pris connaissance d'histoires de gens, hommes ou femmes, jeunes ou moins jeunes, fortunés ou non, qui donnaient un sens à leur maladie. Ceux-ci profitaient en quelque sorte de leur expérience pour transformer leur quotidien. Dès lors, et de manière surprenante, ils s'en portaient mieux. J'ai acquis la conviction que leur façon de réagir devant la maladie peut nous éclairer.

Maintenant, je vais dire une chose inouïe: d'un point de vue psychologique, les malades sont *chanceux*! Bien sûr, ce n'est pas ce qu'ils pensent lorsque la maladie frappe à leur porte et qu'elle se fait très insistante. Ceux qui sont gravement malades ont raison de se plaindre et de trouver cela injuste. Pourtant, certains d'entre eux finissent par réaliser que la maladie leur donne un avantage par rapport aux «bien-portants», car elle leur permet de voir la vie telle qu'elle est! Ils ne vivent plus dans l'illusion de leur pérennité, la mort leur pend au bout du nez! Cela leur apporte une perspective différente qui les pousse en quelque sorte à se donner une vie meilleure, même parfois malgré la maladie.

En vérité, les veinards, ce sont ceux qui ont encore plusieurs années à vivre devant eux. Mais la santé peut parfois donner l'impression de flotter au-dessus de la réalité. Nous roulons à fond de train et attendons d'être sur le point de mourir pour nous arrêter. Pourtant, les choses peuvent être différentes.

Si vous êtes confronté à une maladie grave ou à l'éventualité de la mort, la vôtre ou celle d'un proche, laissez-moi vous dire une chose. Vous n'êtes pas seul! Nous avons tous cette épée de Damoclès au-dessus de nos têtes, mais nous préférons parfois jouer à l'autruche, jusqu'au jour où le pire survient. Nous devenons alors conscients d'une chose que nous avons avantage à nous rappeler pendant qu'il est encore temps: nous avons une seule vie à vivre et c'est celle qui passe pendant que vous lisez ces lignes.

Nous avons une seule vie à vivre, celle qui passe à cet instant.

Les gens qui ont été sérieusement confrontés à leur finitude peuvent nous apprendre des choses incroyables qui nous serviront pendant que *nous* sommes bien en vie! Ils peuvent nous apprendre à être *heureux*.

Les histoires de ces gens ne sont pas comme la théorie que l'on enseigne à l'université. Elles sont à l'opposé des statistiques à qui on peut faire dire à peu près n'importe quoi. Je dirais qu'elles sont *vraies*. Souvent, elles nous touchent, parfois elles nous transforment.

Leurs histoires sont la preuve que le rétablissement est possible. Quand une cliente atteinte d'une dépression dite «chronique» s'en sort, puis revient me voir quelques années plus tard pour me dire qu'elle va toujours bien, je sais que c'est réel! Quand un collègue atteint d'un cancer intraitable survit malgré le verdict qu'il a reçu, je me dis qu'il ne doit pas être le seul. Quand dix, cinquante ou une centaine de personnes se rétablissent contre toute attente, il est légitime de croire que chacun de nous peut s'en sortir!

Lorsque j'entends le récit d'un homme ou d'une femme qui, d'une manière ou d'une autre, a eu une existence hors du commun, malgré l'adversité, cela me gonfle d'espoir! Je suis en admiration devant les possibilités de l'humain et le courage dont il fait preuve. J'ai le même sentiment quand j'assiste à des exploits de grands sportifs qui n'ont pas froid aux yeux. Côté santé, les gens qui ont surpris même les grands spécialistes nous permettent d'espérer que tout est encore imaginable.

Les histoires de gens qui ont retrouvé la santé donnent de l'espoir à ceux qui, à leur tour, souffrent.

Les gens dont je parle dans ce livre étaient très affaiblis par la maladie. Pour se soigner, ils ont privilégié des gestes naturels. Cela devrait être pareil pour nous, dans des circonstances où nous rencontrons des problèmes. Mais quand on cherche des solutions, on est souvent attiré vers des moyens sophistiqués.

Franchement, ce qui est compliqué, on s'en lasse. Ce n'est pas par manque de volonté, c'est dans notre nature! Ni vous ni moi n'aimons nous triturer les méninges. Tout le monde déteste changer son alimentation et faire des pirouettes dans son emploi du temps. Tôt ou tard, on délaissera une discipline stricte à suivre tous les matins, midis ou soirs. Les trucs qui marchent sont ceux qu'on arrive à faire spontanément, sans suivre de cours, sans entraînement.

Ce livre rassemble les plus belles découvertes que j'ai faites après — et un peu *grâce* — à la mort de mon père. Je crois qu'il peut être utile aux personnes qui vivent une épreuve, de toute nature, si grande soit-elle. Il s'adresse aussi aux institutions qui offrent des services de santé et à ceux qui aident les gens, à titre de médecins, de soignants ou de thérapeutes.

Ce que j'ai découvert

Avez-vous fait l'expérience d'une maladie assez critique pour qu'elle vous jette par terre? Avez-vous connu la mort d'un proche ou d'un ami? Dans de telles circonstances, on entend soudain l'ultimatum. Alors, on prend la décision ferme de profiter pleinement de sa vie. Puis, chaque fois, c'est la même chose. Les semaines passent, les mois et les années et... on oublie. Ce livre est un outil pour ne plus oublier!

Si je devais résumer ce que j'ai découvert au cours de ma quête, je dirais d'abord que deux grands défis guettent les personnes qui croisent la maladie sur leur chemin. *Primo*, quand nous sommes très malades, nous sommes vulnérables. Parfois, nous régressons au point de nous retrouver comme des tout-petits qui dépendent des bons soins de leur mère. Nous nous sentons ignorants devant notre corps et nous-mêmes, et surtout devant la maladie qui nous terrasse. Lorsqu'il est question de savoir comment se rétablir... ô combien on se sent *nuls*!

Secundo, nous avons peur d'avoir mal. Alors, parfois, nous courons à la pharmacie ou à l'urgence, et sautons dans le pot de pilules. À l'aide de comprimés, nous amortissons la douleur. Quel soulagement! Pourtant, même si la médecine nous offre des moyens pour combattre nos maux, ceux-ci ne sont pas suffisants. Surtout lorsque nous sommes très malades et que cet état perdure. À la longue, le réflexe de se fier à la médecine peut nous empêcher de changer nos mauvaises habitudes. Nous continuons donc de mener la même vie stressante tout en étant gelés par des cachets, risquant ainsi d'empirer notre état.

Cette ignorance de notre corps et cette peur de souffrir, dont je traite dans la première partie de ce livre, nous éloignent d'une existence saine et comblée. Sur le plan psychologique, être «nuls» par rapport à nous-mêmes peut nous amener à nous manquer de respect. Alors, on peut passer une grande partie de notre vie à exister *comme* les autres. La peur, elle, est à l'origine de la plupart de nos regrets. Par sa faute, nous finissons par nous dire «j'aurais donc dû».

J'ai réalisé qu'il est possible d'incarner des personnages plus *héroïques* que ceux qui sont guidés par l'ignorance et la peur. Ces personnages se révèlent à travers le récit de personnes malades qui ont tiré parti des épreuves pour changer leur quotidien. Dans la seconde partie de ce livre, nous apprendrons à connaître chacun de ces personnages. Nous irons à la rencontre des «optimistes», des «rusés», des «bons vivants», des «paisibles», des «increvables», des «fervents», des «sociables» et des «courageux». Chacun à sa manière, a compris une chose importante dont ce livre parle : si on peut parfois contribuer à sa maladie, on peut aussi contribuer à son mieux-être.

> *Si on contribue parfois à sa maladie, on peut aussi contribuer à son mieux-être.*

Quand je lui ai demandé ce qu'il avait appris au cours de sa longue démarche pour vaincre son cancer, un bon ami m'a confié ceci : «La médecine peut nous aider à lutter contre la maladie, mais il faut autre chose pour *reconstruire* notre santé.» L'essentiel de ce livre se trouve dans cette idée. Les gens qui ont maîtrisé la maladie ont mis toutes les chances de leur côté en profitant des soins qui étaient à leur disposition. Mais chacun a aussi fait *autre* chose qui avait un sens à ses yeux. Ce faisant, il est devenu… plus heureux. Parfois, plus heureux qu'il ne l'avait jamais été. Certains ont arrêté de mener une vie d'excès et ont apprécié les jours qui leur restaient. D'autres sont allés au bout de leurs passions, ont pris soin d'eux-mêmes, ont transformé la manière dont ils vivaient, et sont devenus plus bienveillants envers eux-mêmes et les autres, et aussi

> *La médecine peut nous aider à lutter contre la maladie, mais c'est à nous de reconstruire notre santé.*

plus authentiques. Inspirons-nous de leurs histoires pour transformer notre vie.

Mais avant de plonger dans les chapitres de ce livre, je crois utile de faire un détour obligé là où ma quête a débuté, c'est-à-dire au chevet de mon père. Voici le récit de l'expérience la plus éprouvante que j'ai vécue à ce jour. Il trouvera peut-être une résonance auprès d'autres malades ou de leurs proches, qui se trouvent dans une situation semblable. Surtout, cette histoire sera le point de départ d'une réflexion plus vaste, teintée d'espoir, que je souhaite partager dans ce livre.

L'histoire de mon père

Je me souviens du jour où mon père nous a annoncé la mauvaise nouvelle ; il a lancé le mot « cancer » avec la légèreté d'une plume d'oie, mais ce mot est tombé au sein de notre famille comme une bombe. Il était le seul à ne pas prendre cette histoire trop au sérieux. Quelques semaines plus tard, il rentrait à l'hôpital, s'installait dans la chambre qui lui était assignée et attendait sagement l'intervention.

Il ne s'inquiétait pas outre mesure. Son chirurgien lui avait affirmé que la petite masse était bien localisée et qu'elle serait extraite sans problème. À l'heure prévue, un brancardier est venu le chercher et l'a conduit jusqu'à la salle d'opération. Mon père est revenu, encore sous l'effet de l'anesthésie, gelé comme une balle et faisant le comique. Sa bonne humeur nous a réjouis. Le chirurgien avait retiré la tumeur, recousu son côlon, et s'était assuré qu'il n'y avait aucune trace de métastases. Mon père avait eu raison et nous étions soulagés de sa clairvoyance.

Une seule petite tache au tableau…

Juste après l'opération, malgré l'effet de l'anesthésie, mon père avait du mal à respirer. Il cherchait en vain une position qui lui permettrait de dormir. Mais les tuyaux qui étaient branchés à des endroits clés de son anatomie l'en empêchaient. Il se tournait légèrement à gauche, puis revenait à droite. De nouveau à gauche, puis à droite. Il réussissait à s'assoupir une ou deux minutes, mais pas assez longtemps pour récupérer. Le médecin de garde lui a prescrit un sédatif. Mon père s'est apaisé pendant trente minutes, puis il s'est réveillé à bout de souffle, tremblant comme une feuille. Il a passé la nuit sans pouvoir sombrer dans un sommeil réparateur. En plus, il avait toujours soif, mais il n'était autorisé qu'à sucer des glaçons ou un linge humide, qu'il mordait faiblement.

À mesure que les heures passaient, il se sentait de plus en plus oppressé. Nous avions remarqué que son ventre était drôlement enflé. Maintenant, ses bras, ses jambes et son visage lui donnaient l'apparence d'un bonhomme gonflable géant, comme ceux qu'on voit sur les toits de magasins pour annoncer une grande promotion. Nous l'avons fait remarquer au médecin. « Nous avons pris des radiographies, elles ne montrent rien d'anormal, a-t-il dit. Cette réaction survient généralement après une opération, le corps réagit à l'agression chirurgicale, l'enflure devrait s'estomper sous peu. »

Mais, il ne désenflait pas. Une inquiétude silencieuse m'envahissait. J'étais confrontée à une situation qui dépassait mes connaissances en anatomie. Et, pour la première fois, je considérais l'injuste condition à laquelle les patients peuvent être soumis. Comment une opération *réussie* pouvait-elle causer autant de désagréments ?

Plus l'enflure s'étendait, plus sa pression sanguine augmentait. Les spécialistes impliqués dans le dossier se consultèrent d'urgence. Ils admirent que rien n'allait plus. Il fallait se dépêcher avant que le cœur flanche. L'intubation semblait être le seul moyen d'éviter que le *moteur* de mon père s'épuise. Tous mes espoirs reposaient donc sur cette machine qui lui permettrait de rester vivant, artificiellement. C'est tout de même stupéfiant qu'un appareil puisse se substituer à la vie; qu'une personne morte ne le soit pas tout à fait. C'est merveilleux et effrayant à la fois!

Le coma artificiel lui a effectivement apporté un répit; cependant, mon père ressemblait de plus en plus à une baleine échouée sur la plage. Il continuait de gonfler et ses reins ne fonctionnaient toujours pas. Le chirurgien a demandé à nous consulter. Sur un ton repentant, il a concédé qu'il y avait quelque chose qui clochait. Mais quoi au juste? Il fallait en avoir le cœur net et l'opérer de nouveau. « Autant vous dire qu'une telle opération est très risquée, a-t-il murmuré. Quatre-vingt-dix pour cent des patients dans le même état que votre père ne s'en sortent pas. Plusieurs médecins nous déconseillent cette opération. D'un autre point de vue, votre père ne survivra pas bien longtemps. »

Quelle déception de savoir qu'il repasserait sous le scalpel! Mais la déception n'était pas aussi grande que notre peur qu'il succombe. Nous étions devant un dilemme insoutenable; quelle que soit notre décision, mon père risquait d'y laisser sa peau. Vous est-il déjà arrivé d'avoir la vie d'un être cher entre vos mains? Jamais, au grand jamais, on ne veut être mis face à cette responsabilité. Nous étions incapables de porter un jugement averti et nous nous sommes fiés à l'intuition du spécialiste.

Le chirurgien a ouvert le ventre de mon père pour une seconde fois et réparé les dommages causés par l'intervention initiale. *Grosso modo*, mon père s'empoisonnait avec le liquide qui s'échappait d'une petite fissure de son côlon mal recousu et se répandait dans son corps. La fissure n'avait malencontreusement pas été décelée sur les radiographies postopératoires. Le rapport médical présentait la situation dans un jargon que seuls les médecins peuvent décoder... *néocôlon avec complications postopératoires, déhiscence anastomose de l'intestin, hémorragie cérébrale avec hémiparésie droite, neurogène hyperréflexique de la vessie, fistule présacrée.*

Cet argot ne nous disait pas grand-chose, mais nous comprenions que la chirurgie avait mal tourné, que mon père était plongé dans un coma artificiel profond, mais... il allait guérir.

C'était tout ce qui comptait à nos yeux. Après cet incident et la tournure des événements, nous étions habités d'un espoir fragile qui allait de nouveau être mis à l'épreuve.

Pour remettre le système de mon père en marche et vider le liquide qui oppressait ses organes, ses reins devaient s'activer à plein régime. Le temps pressait. Les infirmières désespéraient devant le mince filet d'urine qu'elles prélevaient au compte-gouttes. Ses reins semblaient pétrifiés et, au bout d'un moment, mon père s'est remis à gonfler. Le médecin de garde nous a convoqués de nouveau et nous a expliqué qu'une intervention commune, la dialyse, pouvait le sauver. Mais l'hôpital ne possédait pas l'équipement requis. Cette spécialité revenait à un hôpital qui se trouvait tout près. Malheureusement, il fallait déplacer mon père en ambulance...

Alors, quel est le problème ? pensions-nous.

Le problème était qu'aucune ambulance n'était munie d'appareils assez sophistiqués pour maintenir en vie un patient dans un état aussi précaire, même pendant un court laps de temps. Le médecin présumait donc qu'aucune issue n'était possible, et que, d'une journée à l'autre, l'inévitable surviendrait.

Nous étions dans un tel état. Les conclusions étaient consternantes ; mon père ne pouvait recevoir les soins appropriés à l'hôpital où il séjournait et il ne pouvait être transporté dans une institution voisine qui pouvait les lui offrir. Cette journée est restée gravée dans ma mémoire comme celle où j'ai perdu mon optimisme sans faille.

Vous savez quoi ? Ce médecin était dans l'erreur. Heureusement, le lendemain, un nouveau médecin de garde s'est présenté à nous. Elle avait fait ses classes dans une région éloignée de la métropole, ce qui l'avait obligée à mettre en œuvre son système D. « Il existe, nous dit-elle, des ambulances assez puissantes pour fonctionner avec un respirateur artificiel et ainsi maintenir un taux d'oxygène suffisant pour permettre la survie de votre père. » Elle nous a rappelé que la situation était critique ; le déplacement vers cet hôpital et la dialyse étaient sa dernière chance.

En moins de deux, elle a fait venir l'ambulance et planifié le déplacement. L'attente était infernale, chaque minute comptait. Le véhicule est enfin arrivé. Aussitôt, mon père a été débranché, puis déplacé vers l'ascenseur. Il n'avait pas fait deux mètres que son taux d'oxygène a chuté d'un coup. Le médecin grognait et disait qu'il n'aimait pas cela. Non, il n'aimait pas du tout cela! Mais cela ne les a pas arrêtés; les deux inhalothérapeutes, l'infirmière, le médecin et deux brancardiers ont couru à toute pompe vers les portes de l'urgence. En moins de quinze minutes, l'ambulance était arrivée à l'autre hôpital.

Durant les jours qui ont suivi, la dialyse a libéré son corps d'une quantité énorme de liquide. Mais la partie n'était pas gagnée. Les médecins ne nous ont pas caché que le rétablissement de mon père serait long et très incertain.

En fait, il est demeuré inconscient longtemps. Sa survie ne tenait qu'à des tubes qui le gavaient et lui procuraient son cocktail quotidien. Comme les tubes étaient encombrants et douloureux, il les arrachait. Les infirmières devaient ficeler ses bras aux barreaux du lit pour éviter les problèmes. C'était horrible! Ainsi immobilisé, ses muscles se dégradaient, ses cheveux tombaient, sa peau séchait, ses lèvres fendillaient et les plaies de lit faisaient le reste des dégâts. Je ne pouvais supporter de le voir ainsi vivre par procuration et dépérir. Je me sentais coupable d'assister à cela.

Puis, un jour, mon père est enfin sorti du coma. Il a retrouvé ses esprits. Ça, oui! Mais, il a perdu plusieurs facultés physiques. Il n'a jamais pleinement recouvré l'usage de la parole. Il marmonnait des mots inaudibles, ce qui le faisait rire la plupart du temps, mais le rendait dépendant. Son côté droit était une perte presque totale et la paralysie de son visage lui donnait un air de gars éméché. De plus, il fallait lui mettre une bavette de grand bébé pour ramasser la nourriture et la bave qui s'échappaient de sa bouche inapte. On le lavait et on changeait sa couche.

Comme l'état de mon père était précaire, il est retourné plusieurs fois et durant de longs mois, à l'hôpital, où il était pris en charge par des dizaines de professionnels pleins de bonnes intentions, qui le soumettaient à des examens et à des traitements pénibles. Ces séjours l'épuisaient et il cherchait à les éviter. Néanmoins, il a dû y retourner, pour la dernière fois, cinq ans après sa première opération, alors qu'il était extrêmement fiévreux.

Dès son entrée, un médecin a diagnostiqué une pneumonie et lui a prescrit des antibiotiques. Ensuite, il lui a fait faire des prises de sang, un examen de tomodensitométrie (scan) et des radiographies pour vérifier l'état général de son organisme, et l'a envoyé en cardiologie, où l'on a dépisté une petite masse de chair sur la valve du cœur. On a alors ajouté à son impressionnante pharmacopée des antibiotiques extrapuissants.

Pendant que mon père se soumettait à ce traitement musclé, les résultats des tests ne révélaient aucun problème organique pouvant expliquer sa fièvre. Par contre, un médecin a remarqué une petite cavité inhabituelle à la deuxième vertèbre cervicale qui pouvait être causée, selon lui, par une tumeur. Il fallait passer un nouvel examen pour en être sûr, mais la condition de mon père était trop incertaine. Il a suggéré que l'on attende trois ou quatre mois avant de le faire. Jusque-là, il devait rester tranquille. Mon père ne pouvait déjà plus se lever du lit !

Durant cette période, un deuxième électrocardiogramme a montré que la masse sur la valve du cœur n'avait pas bougé d'un poil. «Tout compte fait, nous a-t-on expliqué, ce n'était peut-être qu'une tache sur la radiographie. Vous savez, les appareils donnent des résultats approximatifs, pas des certitudes.» Les antibiotiques extrapuissants que mon père avait pris n'étaient finalement pas nécessaires, cependant, ils avaient diablement affaibli son état. Maintenant, il devait se reposer.

Dans l'intervalle, un nouvel oncologue est venu faire son tour dans le dossier de mon père et l'a envoyé passer un énième test qui allait révéler qu'il n'y avait pas de trace de cancer dans la région cervicale. On percevait bien une lésion inoffensive, mais celle-ci y était probablement depuis l'enfance.

Pendant les dernières années, mon père avait été gavé de médicaments, perforé par d'innombrables prises de sang, éprouvé par des examens et des traitements douloureux. Un jour, alors que nous interrogions poliment un médecin pour savoir si les interventions subies avaient pu contribuer à la mauvaise condition de mon père, il nous a répondu que cela était improbable.

Après cinq ans de ce régime, mon père en a eu assez. Il souffrait et voulait désespérément mettre un terme à son calvaire. Il a supplié les médecins de cesser «l'acharnement thérapeutique», un terme qui convenait parfaitement à sa situation. Mais, il ignorait que les soins de confort fournis au mourant volontaire signifiaient qu'on ne lui donnerait plus rien, pas même un soluté, d'ici l'arrêt de ses fonctions vitales.

À la toute fin, nous avons imploré les infirmières d'augmenter sa dose de morphine pour alléger ses souffrances, mais le seul dosage autorisé était celui qu'il recevait déjà. Ainsi, la dernière semaine de sa vie nous a laissé un souvenir douloureux. Nous avons assisté à cinq jours d'interminable agonie. La nuit, surtout, dans l'obscurité, nous entendions son râle intermittent. C'était un vrai supplice. Puis, mon père est mort, lucide, mais agité.

Lorsqu'il a enfin été délivré de ses souffrances, le médecin nous a posé la «question qui tue». Voulions-nous une autopsie? Notre première réponse a été un «non» catégorique. Nous ne pouvions imaginer que chaque organe soit coupé en petits morceaux, analysé et mesuré. Mais après mûre réflexion, nous en sommes venus à la conclusion que cela nous permettrait de comprendre ce qui l'avait mis dans un tel état, puis achevé.

L'autopsie a été pratiquée deux jours après son décès. Le rapport qui résumait son état présente la situation dans des termes tarabiscotés qui veulent dire, en fait, qu'il y avait eu des complications à la suite de la chirurgie, et que plusieurs organes y avaient goûté! Le médecin qui avait fait le rapport avait indiqué que l'origine de la fièvre qui accablait mon père était inconnue. Il y spécifiait que certains problèmes avaient été traités avec succès, mais que la plupart des autres interventions avaient été inefficaces et que l'état général avait continué de se détériorer progressivement.

Ensuite, le rapport présentait les pièces prélevées : le tube digestif avait été examiné, de l'œsophage à l'anus ; le cerveau avait été coupé en tranches... On ne voulait pas lire ça ! Le rapport se terminait en précisant que l'autopsie avait permis de considérer des altérations affectant plusieurs organes vitaux, son cœur, son foie, ses poumons, ses reins, de sorte que la cause immédiate demeurait vague et que ces considérations ne pouvaient ni confirmer ni infirmer aucune maladie qui aurait causé le décès.

Mon père était mort sans raison et pour rien, semblait-il. Non, pas « pour rien », puisque sa mort allait me pousser à écrire ce livre. J'étais ébranlée en pensant à la manière dont il avait vécu ses dernières années et je ne voulais plus qu'aucun de mes proches — en commençant par moi-même —, ni personne, ne vive pareille tragédie. Je réalisais qu'une fois que nous tombions malades, nous perdions en quelque sorte le contrôle sur notre corps, subissant presque passivement la maladie et les soins qui nous étaient offerts.

Pourtant, je me doutais que nous étions en mesure de faire les choses autrement. Ma quête allait me montrer que nous pouvions reprendre en main notre santé, et mieux vivre nos jours, des premiers aux derniers, afin de retarder le moment où la Faucheuse nous prendrait en otage. Voici le fruit de mes découvertes...

PREMIÈRE PARTIE

Le défi d'être malade

Les années passées au chevet de mon père m'ont aidée à mieux comprendre la façon dont la plupart d'entre nous traversons la maladie et les défis auxquels nous faisons face. Le premier *défi* est sans doute celui lié à notre ignorance par rapport à notre corps et, de façon générale, par rapport à nous-mêmes. Comment pouvons-nous prendre soin de nos organes ou soigner une maladie quand nous ignorons les comportements les plus élémentaires ? Parfois nous mangeons mal, dormons peu, ne bougeons pas beaucoup et n'allons pas dehors suffisamment. Sur le plan psychologique, comment vivre heureux quand on peine à connaître la personne que l'on est et ce qu'elle désire vraiment ?

Une vieille légende raconte qu'il y eut un temps où l'on cherchait à cacher un trésor à un endroit où il serait impossible de le retrouver. Des sages eurent l'idée de l'enterrer profondément sous le sol. Mais le maître parmi eux leur fit comprendre que cela ne suffirait pas, car l'humain, un jour, creuserait la terre et le trouverait. Alors, ils suggérèrent de le jeter dans le fond des abysses marins. Mais le maître pensa que, tôt ou tard, l'homme explorerait les océans et le découvrirait. « Et, si nous hissions le trésor sur la plus haute montagne ? » « Il s'y rendra, c'est sûr ! » dit-il. Les sages conclurent qu'il n'existait sur la planète aucun endroit que l'humain ne puisse atteindre. Ils se tournèrent vers le maître et lui demandèrent où cacher le trésor. Celui-ci répondit : « Dissimulez-le au plus profond de lui-même, c'est le seul endroit où il ne le cherchera jamais. » Depuis ce temps, conclut la légende, l'humain explore la Terre et l'Univers à la recherche d'un trésor qui se trouve… à l'intérieur de lui-même.

Le maître avait-il raison de croire que le trésor serait à l'abri à l'intérieur de nous-mêmes? N'est-ce pas un endroit que nous fréquentons peu? qui nous fait peur? À ce sujet, le dramaturge français plutôt grinçant Jean Anouilh écrivait: «On dit toujours: "entrez en vous-même, entrez en vous-même"; j'ai essayé, mais il n'y avait personne, alors j'ai eu peur et je suis sorti vite fait.» À force de ne pas «entrer en nous-mêmes», les problèmes surviennent inévitablement. À l'occasion, nous exigeons plus que ce que notre organisme peut supporter. Nous vivons des conflits entre ce dont notre corps a besoin et ce que notre tête nous dicte. Et le cœur dans tout ça, a-t-il son mot à dire? Les exigences que nous nous imposons sont parfois incompatibles avec les sentiments que nous n'osons pas exprimer.

Un deuxième *défi* est notre crainte de la souffrance. On a tous peur d'avoir mal, c'est un instinct! Mais on peut faire un trop grand usage des moyens servant à taire le mal. Et, à la longue, ces moyens, si bénéfiques soient-ils, peuvent devenir nocifs. Les anti-douleur font taire les signaux d'alarme. On peut donc être tenté de pousser notre corps au-delà de ses limites, continuant à rouler à toute vitesse, alors qu'on devrait ralentir, à rouler les yeux fermés, alors qu'on devrait regarder là où on est et où on se dirige.

Dans *L'alchimiste*, Paulo Coelho écrivait que «le cœur craint de souffrir et cette crainte de la souffrance est pire que la souffrance elle-même». En d'autres mots, nous avons *peur* d'avoir *peur*, comme l'illustre une autre légende au sujet d'un grand samouraï.

Cette légende raconte qu'un samouraï se tenait au bord d'une rivière. Il avait pêché et s'apprêtait à manger un poisson qu'il avait attrapé, quand un chat caché dans les buissons a soudain sauté sur sa proie. Le samouraï, furieux, a prestement sorti son épée et tué le chat. Quelque temps plus tard, le samouraï a commencé à avoir des remords. Ceux-ci l'envahissaient de plus en plus à mesure que les jours passaient. Ils ne le laissaient plus vivre en paix. Partout où il allait, il entendait le miaulement qu'avait laissé échapper le chat avant de se faire trancher la gorge. Tous les bruits que le samouraï entendait se transformaient en miaulement : le chuchotement des enfants, une porte qui grince, un bruit de pas...

Il est devenu obsédé par ce bruit, et a imploré son maître de l'en libérer. Celui-ci a répondu que ça ne valait pas la peine de vivre s'il n'était pas capable de faire taire lui-même ce miaulement intérieur. Qu'il n'avait d'autre choix que de se faire harakiri! Mais comme le maître avait pitié de lui, il lui dit aussi que pendant qu'il s'ouvrirait le ventre, il lui couperait la tête pour abréger ses souffrances!

Pour se délivrer de ce bruit insupportable, le samouraï a accepté la proposition du maître. Au moment venu, il s'est mis à genoux et a déposé le bout de son épée sur son ventre. Derrière lui, le maître lui a dit : « C'est le moment! » Le samouraï a appuyé plus fort sur l'épée, mais le maître l'a interrompu pour lui demander s'il entendait le miaulement. Le samouraï a répondu : « Oh non, pas maintenant! » « Alors, a dit le maître, puisque les bruits ont disparu, tu n'as plus besoin de mourir. »

Ne sommes-nous pas un peu comme ce samouraï, tourmentés par des problèmes qui n'ont pas toujours l'importance que nous leur accordons? Ce sont des miaulements. On entend des voix qui disent : « Je ne suis pas à la hauteur, je dois en faire plus », alors qu'on en fait déjà bien assez. On s'invente des histoires à dormir debout telles que « les autres ne m'aiment pas », « ils sont mieux que moi », alors que de toute évidence, les autres nous estiment et nous valons autant qu'eux. Notre imagination fertile nous empêche de trouver la sérénité.

Mais lorsqu'on est très malade, on réalise qu'on passe une partie de notre existence à s'en faire pour rien. C'est ainsi qu'au moment où une personne est frappée par l'éventualité de la mort, elle réalise combien elle tient à la vie. Elle ne veut plus jamais la gaspiller à toujours avoir peur de tout.

La plupart du temps, nous ne pensons pas à notre finitude ni à d'éventuels coups durs. On pourrait croire qu'on vit comme des zombies, jusqu'au moment où notre corps abîmé et notre esprit tourmenté, d'une manière très insistante, nous crient : «Ouch!» Et encore, même à ce moment-là, nous négligeons les signes qui nous disent «ménage-toi!» ou «tu n'en peux plus». Il y a quelque chose d'étrange dans cette relation que nous entretenons avec nous-mêmes. Il m'est apparu évident que cette relation doit être réinventée.

Heureusement, la plupart d'entre nous seront épargnés des tragédies qui sont relatées dans ce livre, comme les infortunes de mon père. Certains sauront même tirer profit de leur malchance. Ils vivront plus en santé, plus longtemps et en meilleur accord avec eux-mêmes. Ils seront plus heureux. La deuxième partie de ce livre décrit la manière dont il est possible d'y parvenir. Mais d'abord, tentons de comprendre pourquoi nous devenons parfois des «nuls» et des «froussards» devant la maladie, et comment éviter les pièges dans lesquels ces «personnages» nous font tomber.

CHAPITRE 1
Les « nuls »

Après le décès de mon père, j'ai souhaité que plus jamais personne de ma famille ne remette les pieds dans un hôpital. Mais j'ai dû me raviser. C'était mission impossible ! J'ai alors choisi de me sensibiliser à la réalité de ceux qui souffrent, mais également de ceux qui nous soignent, et d'explorer les limites auxquelles chacun fait face.

J'ai d'abord compris qu'aucune science n'est absolue. Aucun spécialiste n'est un être surnaturel qui plane au-dessus des aléas de la vie. Chacun fait de son mieux. J'avais oublié qu'un médecin travaille parfois de longues heures, qu'il peut lui arriver d'être fatigué ou tout simplement pas dans son assiette. Par ailleurs, certains patients ne se soumettent pas aux règles les plus élémentaires et courent dans l'ombre du danger.

Ce chapitre relate des récits de gens malades et de médecins. N'y cherchez pas de bons ni de méchants. Il n'y a que des *héros* courageux qui font face à la maladie, chacun de leur côté du paravent. Sauf que celui qui se tient derrière la cloison est à coup sûr plus désarmé que l'autre. Si vous avez vu le film de science-fiction *Alien*, c'est un peu comme ces héros qui cherchent à dompter la bête qui s'est introduite furtivement dans le corps de l'un d'entre eux. Ils utilisent leur adresse pour la maîtriser, mais ils ne se battent pas à armes égales, car celui qui est possédé par la bête s'en trouve métamorphosé.

La maladie transforme les gens. Vêtu de sa jaquette bleu poudre qui lui donne un air ridicule, le malade perd ses repères et son identité. Il troque ses diplômes faisant mention de quelques titres prestigieux pour un bracelet en plastique transparent. Il oublie son statut de « président de compagnie » ou « d'employé du mois ». Dans son lit d'hôpital, il se contente d'être un « patient » qui attend l'avis du spécialiste et espère que celui-ci le soulagera de son problème. Il est dépendant du savoir d'un *autre*, parce qu'il ignore à peu près tout de *lui-même*.

Voilà ce qui m'est apparu comme une révélation au cours de cette expédition dans l'univers de la maladie : nous sommes ignorants au sujet de nous-mêmes. Nous connaissons peu de choses de notre organisme... de nos tripes ! À l'instar des livres aux titres cinglants, « *L'informatique pour les nuls* » ou « *Le chinois pour les nuls* », nous pourrions dédier celui-ci aux *nuls* d'eux-mêmes !

De mon point de vue, il est curieux de penser que nous pouvons passer des années à étudier des sujets complexes, mais ignorer ce qui se passe dans notre propre corps. Quand nous sommes souffrants, nous ne sommes pas fichus de savoir ce qui, à l'intérieur de nous, ne tourne pas rond.

D'ailleurs, nous pouvons avoir *peur* de savoir. Avec raison. Selon un phénomène psychologique, des personnes qui entendent parler de symptômes liés à la maladie peuvent les éprouver. Des patients se font dire qu'ils ressentiront les effets secondaires d'un traitement et, de fait, ils se mettent à avoir des nausées ou des brûlures d'estomac.

Les connaissances sur nous-mêmes nous échappent, alors qu'elles nous concernent au plus haut point.

Dans les pages qui suivent, vous comprendrez qu'il est important pour chacun de se connaître, au moins un peu, s'il veut dépasser les frontières de la maladie.

Possédons-nous tous les outils pour interpréter notre mal et le guérir? Non, bien sûr. Nous ne sommes pas, pour la plupart, des médecins! La maladie nous place dans une situation paradoxale, puisque les connaissances sur nous-mêmes nous échappent, alors qu'elles nous concernent au plus haut point.

Nous sommes notre plus précieux trésor. Mais ce trésor est caché à un endroit que nous ne fréquentons guère. Nous n'y allons que lorsque nous craignons de le perdre. Voilà aussi pourquoi nous éprouvons une telle sensibilité quand nous confions notre corps, ou celui de nos proches, à des spécialistes. Voilà pourquoi nos attentes à leur égard sont si élevées.

Les médecins sont humains

Un jour, un père s'est mis en colère, parce que son enfant attendait une chirurgie urgente et que le médecin tardait à arriver. Celui-ci était arrivé à l'hôpital à la hâte. Il avait répondu à l'appel, enfilé ses vêtements prestement et couru directement au bloc de chirurgie. Là, il avait trouvé le père du garçon qui faisait des va-et-vient dans le couloir. En apercevant le médecin, celui-ci lui a crié: «Pourquoi avez-vous mis tout ce temps pour venir? Vous ne savez pas que la vie de mon fils est en danger? Vous manquez de sens des responsabilités!»

Le médecin a répondu qu'il était désolé, qu'il n'était pas à l'hôpital et qu'il était venu le plus rapidement possible après avoir reçu l'appel. «Maintenant, a-t-il dit, je souhaite que vous vous calmiez pour que je puisse faire mon travail.» «Me calmer? Si c'était votre fils, vous calmeriez-vous? Si votre propre fils mourait maintenant, que feriez-vous?» a gueulé le père.

Le médecin a alors répondu: «Je dirais: "De la poussière nous sommes venus et poussière nous retournerons." Les médecins ne peuvent prolonger des vies. Utilisez vos forces intérieures pour traverser cette épreuve et pensez très fort que votre fils peut s'en sortir. De mon côté, je ferai de mon mieux!» Le père a rétorqué qu'il est facile de donner un conseil quand on n'est pas concerné.

La chirurgie a duré quelques heures, puis le médecin est sorti, soulagé. «Votre fils est épargné. Si vous avez des questions, demandez à l'infirmière.» Le père a regardé le médecin s'en aller et, voyant l'infirmière, il lui a dit: «Pourquoi est-il si arrogant? Il ne pouvait pas attendre quelques minutes pour que je me renseigne auprès de lui sur l'état de mon fils?» Peinée, l'infirmière lui a répondu que le propre fils de ce médecin était mort dans un accident de la route. Il était à l'enterrement quand on l'avait appelé pour la chirurgie de son garçon. Maintenant qu'il avait épargné sa vie, il était reparti pour terminer l'enterrement du sien.

Quel récit! Ce père avait du mal à maîtriser sa colère, car la vie de son fils était en danger. Bien entendu, il ignorait que son chirurgien vivait aussi des moments pénibles. Comment réagirions-nous si nous étions dans une situation similaire? Si notre enfant était sur la table d'opération et que le chirurgien tardait à arriver? Perdrions-nous notre contenance? Si nous avions nous-mêmes besoin de soins, que ferions-nous? Bien que chacun ne l'exprime pas ouvertement, nous éprouvons des sentiments intenses lorsque nous sommes confrontés à la maladie, parce que nous nous sentons démunis.

Celui qui nous soigne est un humain autant que nous.

Les sentiments que nous éprouvons devant la maladie nous font oublier que les médecins sont humains, eux aussi. Ils ont des enfants qui peuvent tomber malades, des parents qui vieillissent dont ils doivent s'occuper. Ils ont des maux de tête, des conflits de couple, des tracas avec leur voiture. Ils passent souvent des journées d'enfer; ils voient un grand nombre de patients qui se plaignent de leurs bobos et qui veulent des remèdes pour guérir au plus vite.

Vous souvenez-vous du film *Les temps modernes*, cette comédie dramatique américaine où Charlie Chaplin lutte pour survivre dans le monde industrialisé ? Il y joue le rôle d'un ouvrier d'usine soumis à de mauvais traitements, gavé par une machine et contraint à visser des écrous à un rythme effréné sur une chaîne de montage rapide. Quel est le rapport entre ce film et les médecins ? J'imagine chaque spécialiste, à sa façon, comme un Charlie qui tente tant bien que mal de «réparer» les patients qui défilent à l'urgence de l'hôpital !

Un spécialiste est parfois pressé, parfois troublé. Il peut en avoir plein ses bottines ou tout simplement, ne pas avoir la tête à son travail. Mais ce n'est pas seulement une question d'humeur ou de présence d'esprit. Quand on arrive avec nos mille questions sur notre état de santé et qu'il ne répond pas adéquatement… bien sûr, on peut être déçu, mais nous devons reconnaître que le médecin n'a pas la faculté de voir à travers notre corps et notre âme pour saisir avec exactitude la source de nos problèmes. Il ne travaille qu'avec une idée imprécise qu'il a obtenue d'une évaluation relative ou d'une image de radiographie.

On voudrait tellement qu'il en soit autrement. On voudrait que le médecin repère le mécanisme qui fait défaut à l'intérieur de nous, le rafistole et, dans le meilleur des cas, qu'il le rende comme neuf. On voudrait qu'il ait un œil de lynx, des doigts de fée, qu'il soit une créature omnisciente et que rien ne lui échappe.

Celui qui nous soigne est humain autant que nous. Il fait des erreurs. Malheureusement, ces erreurs sont susceptibles d'être plus graves que lorsqu'on se trompe d'ingrédient dans une recette. Entre ses mains, le spécialiste a un être vivant vulnérable, pas un gâteau à préparer, ni une machine à réparer, ni une courtepointe à rapiécer.

Les paroles de réconfort

Les sentiments que nous éprouvons quand nous sommes très malades nous rendent fragiles. Nous devenons alors conscients de nos limites et souhaitons que notre médecin nous prenne en charge et soit hypercompétent. Le père qui craignait pour la vie de son fils souhaitait que son chirurgien soit ponctuel. Il voulait qu'il réussisse l'opération, qu'il manie le bistouri avec la dextérité d'un artiste du scalpel et la finesse d'une grande couturière.

On l'a vu, ce père avait aussi un grand besoin de compassion. Ce besoin dépasse les soins médicaux et ressemble parfois à une relation de dépendance, comme celle d'un jeune enfant avec sa mère. Malades, nous donnons l'impression d'être comme un gamin «qui vient montrer son «*bobo*» au bon papa médecin ou à la bonne maman thérapeute dans l'attente d'une consolation», comme le fait remarquer le psychanalyste québécois Guy Corneau. Nous avons besoin de nous faire dire que le monstre de la maladie n'est pas aussi menaçant qu'il en a l'air, que les médecins nous protégeront de ses griffes redoutables et qu'ils feront tout pour sauver notre peau. En d'autres mots, nous avons besoin de savoir que ceux qui nous entourent sont sensibles à notre situation et que nous n'affrontons pas la maladie seuls.

On peut se sentir tout petit devant le monstre de la maladie.

Les paroles de réconfort sont un coussin sur lequel nous pouvons nous reposer. Le journaliste scientifique américain Norman Cousins écrivait qu'elles «ne sont ni de la poudre de perlimpinpin ni un tranquillisant artificiel». Que notre condition soit un peu, beaucoup, très inquiétante, les mots: «je sais combien cela est pénible» ou «je vais tenter de vous aider» nous autorisent à considérer nos peurs comme une chose normale et nous donnent le sentiment que quelqu'un nous accompagne dans notre épreuve.

Certains spécialistes reconnaissent notre fragilité et nous traitent avec une telle bienveillance. Un collègue racontait que sa fille avait été soignée par un pédiatre qui lui avait rappelé qu'« en médecine, on ne peut pas faire de miracles. On peut guérir *parfois*, on peut soulager *souvent*, mais on doit consoler *toujours* ». Ce pédiatre avait le don de la « parole curative », il disait des mots qui font du bien.

C'est aussi l'expérience que j'ai eue avec un spécialiste, quelques années après le décès de mon père, alors que j'ai été hospitalisée pour soigner un mal de ventre persistant. Voici mon histoire…

Après une longue hésitation, je m'étais enfin décidée à consulter. C'était la fin décembre et j'avais réussi à obtenir un rendez-vous chez le gynécologue. Celui-ci était un vieil homme de race étrangère qui exerçait son métier depuis des lunes. À travers ses grosses lunettes épaisses accrochées au bout de son nez, ses yeux me regardaient avec une profondeur intimidante. Ce jour-là, il a écouté le récit de mes ennuis, puis m'a expliqué leurs causes possibles, les examens que je devrais passer et les traitements éventuels.

De fil en aiguille, nous nous sommes mis à parler d'autre chose que de ma condition physique. Il m'a demandé où je travaillais, et nous avons parlé de la discipline que j'enseignais sur le campus voisin du sien. Mais, puisque j'étais venue le consulter au sujet d'un problème de ventre, il m'a invitée à m'allonger sur la table d'examen et à écarter les jambes pour prélever des tissus de mon utérus. Un examen gynécologique est si gênant qu'on voudrait rentrer sous la table et se prendre pour une poussière masquée. Je me suis donc transformée en minuscule particule, et me suis rhabillée rapidement après les prélèvements. Lorsqu'il a eu terminé de prendre ses notes, nous nous sommes levés, il m'a pris chaleureusement dans ses bras et m'a souhaité un joyeux Noël !

Quelques mois plus tard, j'étais de retour à l'hôpital et j'attendais nerveusement dans le minuscule cubicule qui servait de bureau à mon gynécologue. Celui-ci a consulté mon dossier en silence, s'est approché de moi et m'a fixée avec ses loupes. D'un air paternel, il a mis sa main sur mon bras en m'expliquant ce qui provoquait mon mal de ventre. À cet instant, ce ne sont pas ses propos qui m'ont bouleversée, mais sa façon de s'adresser à moi ; j'étais remuée par autant de sollicitude. Je sentais ses paroles entrer en moi et mettre un baume sur ma peur. Il m'a dit que j'avais une grosse masse fixée à la paroi de mon utérus. Il ne s'agissait pas d'un cancer. On pouvait éviter l'opération, dans la mesure où la douleur était supportable. Mais, si je le désirais, il pouvait intervenir. Il me laissait l'entière liberté de mon choix et le respecterait totalement.

Voilà comment cela s'est passé entre mon chirurgien et moi. Voilà comment je me suis sentie et comment il m'a traitée. J'ai pris ma décision. J'allais subir la « grande opération » ou l'hystérectomie, c'est-à-dire l'ablation de mon utérus.

Au jour J, j'étais assise dans la salle d'attente froide et impersonnelle du service de chirurgie, nue sous ma jaquette d'hôpital, sauf pour une espèce de drap avec des lacets qui s'attachent parderrière et qui laissent vos fesses à l'air. Avec, en prime, des pantoufles en papier d'emballage et un bonnet de douche, j'avais vraiment l'air ridicule ! Mon Dieu que j'étais à fleur de peau ! Je tremblais à l'idée que le médecin se soit trompé, peut-être qu'il s'agissait d'une tumeur maligne qui avait couvert mes organes de métastases, peut-être allait-il y avoir des complications. D'autre part, je me disais que l'opération était peut-être inutile, que la masse pouvait s'être résorbée…

Après trente minutes de tergiversations, mon chirurgien m'a enfin rejointe dans la salle d'attente. Il était vêtu d'un accoutrement similaire au mien. Il portait un peignoir et le même bonnet de plastique loufoque. Je ne sais pas pourquoi, mais en le voyant ainsi accoutré, j'ai eu l'impression qu'on faisait équipe — l'équipe des drôles de bonnets — et qu'on allait s'allier pour vaincre l'ennemi !

Il s'est installé sur la chaise d'à côté et a pris le temps d'écouter mes inquiétudes. Sur le mur, il y avait une liste de patients, un peu moins d'une dizaine d'entre eux passaient au bistouri ce jour-là, j'étais la cinquième sur la liste. Il ne s'est pas montré impatient et ne m'a pas fait sentir que j'étais un numéro. Au contraire, il a pris ma main entre les siennes et m'a dit : « Ça va bien aller. » Ces quatre mots ont fait leur effet. Il m'a semblé qu'à cet instant, quelque chose se passait à l'intérieur de moi ; au-delà de ma frayeur, je me suis mise à le croire sur parole. « Ça irait bien. »

J'étais maintenant disposée à suivre l'infirmière qui m'a conduite à la salle d'opération. On m'a fait m'allonger sur une table de métal glacée et, au-dessus de moi, j'ai aperçu d'immenses luminaires. J'ai eu la sensation d'être une curiosité scientifique qu'on allait disséquer ! L'anesthésiste préparait sa potion magique qui allait m'envoyer au ciel. Il m'a demandé de placer mes bras en croix, qu'on a attachés aux rallonges de la table. Je n'ai pas pu m'empêcher d'avoir une petite pensée pour Jésus sur la croix, que j'ai partagée avec l'anesthésiste et les infirmières. Nous avons rigolé un bon coup, eux d'amusement, moi de nervosité. Puis, chacun m'a expliqué doucement les procédures. Tous semblaient réunis pour me donner confiance et permettre à mon corps de s'abandonner à l'intervention.

Quelques heures plus tard, j'étais revenue sur terre. Souffrante, mais rassurée de savoir que la masse, grosse comme un melon, avait été retirée et qu'il n'y avait pas la moindre trace de métastase. Encore aujourd'hui, j'éprouve de la gratitude à l'égard de tous ces gens, mon chirurgien, les infirmières et l'anesthésiste, qui m'ont démontré tant de gentillesse.

J'étais préparée au pire, car je savais qu'un séjour à l'hôpital peut ressembler à l'enfer dont on ne sort jamais. Mais ma propre expérience m'a réconciliée avec tout ce que j'avais pu connaître auparavant, notamment avec mon père. Je me suis sentie entourée de gens qui considéraient ma vulnérabilité. Sans en faire tout un plat, ils ont calmé mes peurs et ont retiré avec doigté mes organes malades.

Qui connaît mieux son corps?

On est dans ses petits souliers sur une table d'opération. La camisole d'hôpital, le bonnet et les pantoufles n'aident certainement pas à trouver qu'on a l'air intelligent! D'autre part, je ne sais pas si c'est dû à notre accoutrement ou simplement au fait qu'on ne se connaît pas, mais on a du mal à répondre aux questions les plus simples.

Avez-vous déjà eu à vous situer sur l'échelle de la douleur? Il s'agit d'une feuille de papier sur laquelle est dessinée une échelle de 0 à 10, dont chaque extrémité représente l'intensité de la douleur. Quand le spécialiste nous la met sous les yeux et nous demande jusqu'à quel point nous avons mal ou si on éprouve quoi que ce soit d'anormal, on ne sait trop quoi penser. La douleur est une expérience subjective; elle est difficile à estimer et on ne peut se fier à aucun point de comparaison. Le médecin, lui, en a vu d'autres! Il peut dire si notre situation empire, si elle est au point neutre ou si on se rétablit. Voilà pourquoi on le laisse souvent juger de notre condition, ce qu'il fait tant bien que mal.

À ce sujet, le regretté Yvon St-Arnaud, professeur de psychologie et thérapeute québécois, racontait l'histoire d'une dame qui s'était fait opérer pour des varices. L'opération avait été un succès, et le médecin l'avait rassurée dès le lendemain : ses jambes ne lui feraient plus mal. Or, ses jambes lui faisaient mal. Le docteur lui avait répondu de ne pas s'inquiéter, la douleur disparaîtrait sous peu. Mais la douleur persistait et la dame n'osait s'en plaindre. Au bout de cinq jours, n'en pouvant plus, elle l'a rappelé. Peiné mais gentil, le chirurgien lui a déclaré : « Madame, c'est moi le docteur, je vous comprends, mais je sais que vous êtes guérie, croyez-moi, vos jambes ne peuvent plus vous faire mal. »

Quand un médecin manifeste une grande assurance, et qu'en plus, il paraît porter un jugement assez ferme devant la réalité de son patient, celui-ci peut se mettre à douter de ses propres perceptions, se disant que le médecin en sait beaucoup sur la maladie et la souffrance, assurément plus que lui. Et, il lui fait confiance. Mais une confiance sans réserve peut mener à des incidents regrettables, comme dans l'anecdote suivante au sujet d'une dame de 80 ans qui avait un problème relativement commun chez les personnes âgées ; commun, mais extrêmement inconfortable.

Cette dame, que je connais bien, était incommodée par une descente du rectum. Ce problème lui causait de l'incontinence et la sensation désagréable que son côlon s'échappait de son bas-ventre. Elle s'est rendue à la clinique et a consulté un médecin, qui l'a rassurée rapidement, lui a appris le nom donné à son problème, un « prolapsus génital », et le nom de l'opération qu'elle devait subir, un « colpocleisis ». Il lui a affirmé qu'il s'agissait d'une procédure de routine. Celle-ci eut lieu quelques semaines plus tard. Malheureusement, à la suite de l'opération, la condition de la dame a empiré à un point tel qu'elle est devenue complètement incontinente. Que s'est-il passé ?

Lorsqu'elle a rencontré son médecin, celui-ci a jeté un coup d'œil rapide au « problème », puis il est retourné à son bureau et a rédigé la note pour la chirurgie. Ayant écouté les plaintes de la dame, il l'a toutefois prévenue d'un inconvénient majeur : elle ne pourrait plus avoir de relations sexuelles. Il lui a expliqué que l'opération consistait à coudre son vagin, ce qui empêcherait définitivement la pénétration. La dame a rougi et lui a dit qu'elle était veuve, et qu'à son âge, cela ne l'indisposait pas. Son tracas actuel était bien pire que l'abstinence !

La dame ne comprenait pas comment le fait de coudre son vagin pourrait changer la position de son rectum... Mais elle s'est dit que le médecin savait ce qu'il faisait. Or, l'occlusion complète de son vagin a refoulé son côlon encore plus, si bien que quelques jours après l'opération, une longue section pendait à un endroit très embarrassant. La dame était dorénavant parfaitement incapable de retenir ses selles.

Prise de panique, elle a tenté de rejoindre son gynécologue, en vain, puisque celui-ci était parti en vacances et qu'il ne reviendrait pas avant deux semaines. Au bout de cette période incommodante au plus haut point, elle a réussi à obtenir un rendez-vous. Comme elle ne trouvait pas les mots pour décrire la situation dans laquelle elle se trouvait, elle a insisté pour la lui montrer. Il a eu un choc ! Il a eu la décence de reconnaître qu'il avait fait une erreur et s'est excusé. Il a rédigé une nouvelle note pour une chirurgie appropriée, cette fois, quatre mois plus tard. La dame ne pouvait concevoir d'attendre plus longtemps, mais son médecin lui a précisé que comme d'autres patients étaient entre la vie et la mort, leurs cas étaient plus urgents. D'ici là, elle pourrait se déplacer en fauteuil roulant et porter des couches.

Si certains récits peuvent être cocasses, celui de cette dame est pathétique. Elle a subi un traitement pour le moins insensé, compte tenu de sa condition. Elle s'est fait opérer pour rien parce que son chirurgien n'a pas eu le temps d'étudier plus à fond son « point de vue ». Conclusion : il vaut mieux partager nos préoccupations, même si le sujet est un peu délicat, sinon, nous risquons d'avoir de mauvaises surprises !

Chacun est l'expert de son corps.

Chacun a un point de vue sur sa maladie et sa souffrance, qui peut échapper à l'œil averti d'un spécialiste, comme ça a été le cas pour cette dame. Il importe de faire confiance à ce que nous ressentons physiquement. Comme le prétend la spécialiste américaine du cancer, Jimmie Holland, le médecin est peut-être un expert en médecine, mais nous sommes « l'expert de notre corps ».

Sous la peau, sous le capot

Quand mon père s'est mis à enfler comme une baleine, nous avons trouvé cela étrange, mais les médecins nous ont expliqué que cela allait se résorber. Quand un oncologue a fait un saut dans sa chambre pour nous annoncer qu'une tumeur sur la vertèbre cervicale pouvait causer la douleur qu'il ressentait au cou, nous nous sommes demandé : quelle douleur ? Il n'avait jamais eu mal au cou… mais, puisqu'un spécialiste le disait… Et que penser du cas de cette dame incontinente ? À 80 ans, on ne s'obstine pas avec son gynécologue, même si le traitement nous laisse perplexe.

N'est-ce pas insensé que nous nous sentions si ignorants au sujet de nous-mêmes ? Nous habitons en permanence notre corps, mais nous l'avons peu exploré. En contrepartie, nous connaissons les moindres recoins de notre maison. Nous réussissons une recette de muffins à la perfection, mais nous ignorons par quel processus physiologique ces muffins nourrissent nos cellules. Nous étudions les attitudes de nos voisins et de nos collègues, mais nous ne savons pas quelles hormones sont responsables de nos humeurs.

Certains, pour leur part, connaissent le dessous de leur capot de voiture parfois plus que l'intérieur de leur boîte crânienne. Ils comprennent le fonctionnement de leur bagnole, mais leur mécanisme de digestion est du chinois pour eux. Enfin, nous pensons tous à mettre de l'essence sans plomb pour épargner le moteur de notre voiture, mais nous nous gavons parfois de croustilles ou de sucreries.

Peu de gens ont une bonne connaissance des organes, des muscles et des merveilleuses cellules qui leur permettent d'être vivants. Par contre, ne nous méprenons pas. Comme un automobiliste n'a pas à connaître la mécanique pour apprécier une balade en voiture, il n'est pas non plus requis d'étudier le corps humain de A à Z pour savourer pleinement sa vie. Il est possible que cela ne nous intéresse pas, et qu'Internet (avec les pièges qu'il représente) suffise à répondre à nos questions au sujet de notre santé.

La chose la plus importante est de tendre l'oreille aux petits ou grands signes que notre organisme nous envoie. Sans s'inquiéter de façon excessive de nos moindres malaises et devenir hypocondriaque, on peut considérer notre corps comme une source d'information pertinente. Une sensation physique douloureuse peut s'être installée depuis un certain temps et nous empêcher d'être bien. Il faut alors prendre la peine de se demander ce qui peut la provoquer, et ce qui peut la prévenir ou la calmer. Puis, en parler à son médecin.

Pour être en santé, on n'a pas besoin de suivre le cours d'anatomie 101.

L'anatomie est un univers fascinant, mais c'est une discipline complexe comprenant un vocabulaire rebutant. Pour cette raison, il arrive que nous perdions intérêt non seulement pour la science qui gouverne notre corps, mais pour notre corps lui-même. Dans un domaine tout aussi savant, mon garçon de 14 ans me demandait pourquoi son professeur de sciences utilisait des mots si abstraits. Ne pouvait-il se contenter de parler de l'air plutôt que de l'atmosphère, ou des océans et des rivières à la place de l'hydrosphère ?

Les mots scientifiques rebutent à peu près tout le monde, sinon quelques érudits. À ce sujet, le psychologue américain et Prix Nobel d'économie Daniel Kahneman n'hésite pas à dire que les gens ont en aversion les mots compliqués. Notre cerveau déteste se torturer les méninges. C'est émotif ! Parce que notre cerveau est « paresseux », précise-t-il, il fait le mollasse devant des termes à consonance étrangère, qui lui paraissent automatiquement antipathiques.

Pour parler de notre organisme, nous préférons utiliser le langage commun plutôt que les mots tirés du latin et du grec. Ce qui explique pourquoi, lorsque le médecin nous dit que nous avons des reflux gastro-œsophagiens pathologiques, nous avons peut-être envie de lui répondre: «S'cusez-moi, pardon?» Il peut être difficile de s'avouer qu'on préfère les mots simples à la dernière version du dictionnaire médical et que les termes terrifiants nous donnent la nausée, mais c'est souvent la vérité.

Les mots nous rendent malades!

Imaginez que vous toussez et que vous consultez votre médecin, puis qu'après avoir pris des radiographies, celui-ci vous annonce que vous avez un cancer des poumons. La mauvaise nouvelle vous assommera! Certainement plus que s'il vous dit que vous avez un simple rhume. Le vocabulaire médical a beaucoup d'influence sur notre état.

Les mots «cancer», «crise cardiaque», «diabète», «leucémie», «sclérose en plaques», etc., peuvent provoquer des dégâts. À ce sujet, le journaliste scientifique américain Norman Cousins racontait qu'un jeune homme était allé voir un chiropraticien, qui avait exercé une pression sur sa colonne vertébrale. Sur le coup, il a commencé à ressentir une douleur dans la jambe gauche. Quelque temps plus tard, alors qu'il avait oublié l'événement, il est allé consulter un spécialiste au sujet de cette douleur toujours présente. Ce dernier a émis plusieurs hypothèses, dont celle de la sclérose en plaques. En entendant cela, la douleur a triplé d'intensité. Il est revenu chez lui terriblement accablé et, le lendemain, il semblait avoir vieilli de vingt ans et marchait comme un vieillard.

On peut devenir très malade quand on se fait dire qu'on l'est!

D'après de nombreux récits de ce genre, il semble se produire une séquence usuelle. D'abord, des patients souffrent de symptômes et ils vont voir leur médecin qui les envoie à des spécialistes. Ensuite, ils passent des examens, ils sont sonnés par les résultats, ils paniquent, puis ils voient leur mal s'aggraver.

Quand l'état d'une personne s'aggrave à la suite d'un diagnostic, on dit qu'elle subit les effets d'un trouble iatrogène. En grec, cela signifie «provoqué par le médecin» (*iatros*: médecin; *génès*: qui est engendré). Autrement dit, si votre médecin vous prévient que la maladie dont vous souffrez est *grave, critique, sérieuse*, ou quelque chose du genre, vous risquez de vous sentir plus mal. Mais, s'il vous dit qu'elle est *courante* et *sans danger*, vos symptômes ont des chances de s'atténuer.

Il y a une autre expression pour les maladies iatrogènes, celle du «syndrome de la blouse blanche». Ce syndrome a été observé dans des études sur l'hypertension artérielle où un médecin disait à ses patients qu'il lui fallait mesurer leur tension, et celle-ci grimpait automatiquement. Dans une autre étude sur le sida, des patients se présentaient pour une analyse de sang afin de savoir s'ils étaient contaminés par le virus. Après la prise de sang, le médecin les recevait pour leur transmettre le résultat du test et, à la suite de cette rencontre, un second échantillon de sang était pris. Ce dernier échantillon montrait que le système immunitaire des patients qui avaient été diagnostiqués comme séropositifs s'était affaibli.

La science est faite de mots compliqués qui nous rendent parfois malades. Les réactions qui suivent l'annonce d'un avis médical ou qui sont provoquées par le choc d'un événement traumatisant sont bien connues. Dans certains cas, les mauvaises nouvelles peuvent devenir des prophéties qui se réalisent. Dans son livre *L'effet placebo*, Danielle Fecteau relate l'histoire inouïe d'un homme qui ne ressentait aucun symptôme avant qu'on lui annonce qu'il avait une tumeur inopérable au cerveau. On lui a dit que d'ici quelques semaines, la tumeur affecterait sa vision, qu'il souffrirait d'importants maux de tête et de vertiges, et que certains de ses membres pourraient s'engourdir. On lui a dit qu'il lui faudrait alors cesser de conduire et éviter de s'éloigner de son domicile à moins d'être accompagné, et que lorsque son élocution serait affectée, il serait préférable qu'il se fasse hospitaliser, car ce serait le signe que la fin était proche. Il devrait d'ailleurs aviser sa famille au plus tôt, car il lui restait tout au plus trois mois à vivre. Le soir même, l'homme a commencé à éprouver de la difficulté à lire. Quelques jours après avoir entendu le pronostic, il s'est mis à souffrir de migraines et de vertiges, puis ses membres ont commencé à s'engourdir. Trois mois plus tard, il était mort.

Les effets iatrogènes font penser au sort jeté à l'aide d'une poupée de chiffon par un sorcier vaudou! Pourtant, le phénomène s'explique physiologiquement, car la peur et la panique peuvent réellement agir comme des accélérateurs de la maladie, en entravant le bon fonctionnement du système immunitaire.

Votre médecin doit vous dire la vérité au sujet de votre affection, il ne doit pas créer de faux espoirs, mais vous, de votre côté, ne devez pas entretenir un désespoir stérile. À ce sujet, Norman Cousins relatait que le père d'un jeune garçon atteint d'un cancer avait réagi habilement à la suite de la visite d'un spécialiste. Ce dernier était entré dans la chambre du garçon et avait expliqué à son père qu'il devait s'attendre à son décès dans une semaine tout au plus. Son père avait raccompagné le spécialiste, était revenu dans la chambre de son fils, et lui avait confié qu'en tant que médecin, il avait lui-même connu des gens qui s'étaient remis de façon inattendue. Le père avait alors dit à son fils qu'ils allaient travailler ensemble pour faire mentir les prédictions. Son fils l'a cru, il a passé le cap de la première semaine et, après quatre ans, il menait une vie normale.

Dire ou ne pas dire?

Avez-vous déjà sauté en parachute? Moi, oui. Avant de sauter, l'instructeur nous a dit qu'il était possible que le parachute ne s'ouvre pas, qu'il se tortille au vent et que l'on meure. Il a précisé que cela était déjà arrivé, et que, légalement, il avait le devoir de nous en informer. Non, mais... faire le grand saut, c'était déjà terrorisant! Assez pour qu'on sue un bon coup, que le cœur veuille nous sortir de la poitrine et qu'on regrette notre soif des sports extrêmes! Il n'était pas nécessaire d'en rajouter!

Cette obligation de nous informer des risques encourus quand nous participons à une activité hasardeuse ou que nous sommes hospitalisés, par exemple, est un couteau à double tranchant. D'un côté, en ce qui concerne une maladie ou un traitement médical, il est légitime d'être informé des dangers encourus. En fait, comme me l'expliquait un spécialiste, le patient a le droit de recevoir l'information la plus complète possible afin de prendre une décision éclairée. Évidemment, ceux qui sont incapables de recevoir cette information pourront être amenés à l'entendre à petites doses. Par contre, s'ils le demandent, le médecin pourra leur transmettre tout ce qu'il sait, jusqu'aux statistiques concernant la durée de vie.

En réalité, le spécialiste n'est pas obligé de fournir des pronostics précis en tout temps. Au contraire, on l'encourage à admettre qu'il ne peut prévoir le futur de manière précise. Il n'a pas de boule de cristal! Par ailleurs, des gens malades peuvent avoir de la difficulté à vivre dans l'incertitude. Par compassion, le médecin partagera ce qu'il sait. Par exemple, il peut juger qu'une personne a intérêt à savoir qu'elle a une maladie en phase terminale afin de pouvoir se préparer à la souffrance ou à la mort.

D'un autre côté, quand on sème un doute dans l'esprit des gens, on peut aussi causer du tort. À ce sujet, il y a eu, dans un hôpital de Tulane à la Nouvelle-Orléans, une série d'arrêts cardiaques, si bien qu'on a entrepris une enquête pour découvrir que des médecins informaient leurs patients des dangers de l'anesthésie juste avant qu'ils entrent dans la salle d'opération. L'effet était foudroyant!

Les spécialistes exposent en détail les symptômes et les effets secondaires des traitements, parce qu'ils peuvent se faire poursuivre par des patients s'ils omettent d'en parler. Un médecin peut vouloir se protéger. Malheureusement, cela peut, par contre-coup, amplifier ces effets nocebos. Le radio-oncologue québécois Christian Boukaram me confiait qu'avant de se prononcer, il demandait au patient ce qu'il voulait savoir. «Certains veulent tout savoir, rapportait-il, et cela les rassure. D'autres me disent : "Docteur, ne me dites rien, puisque je dois subir les traitements de toute façon."»

Parfois, on préfère ne pas savoir!

Sur l'autoroute, nous ralentissons pour observer l'accident de voiture qui cause la congestion dans la voie d'à côté. Nous feuilletons des livres qui retracent l'enfance misérable de criminels. Nous ne manquons pas une occasion de potiner sur le divorce d'un tel, les difficultés financières d'un autre. Des malheurs des autres, nous voulons tout savoir. Mais quand il s'agit de *nous*, c'est une autre histoire! Parfois, on préfère ne pas savoir.

Quand il a appris qu'il était atteint d'une tumeur au cerveau, le psychiatre français David Servan-Schreiber a refusé de voir les radiographies. La peur est une mauvaise conseillère, se rappelait-il. Il savait qu'une grosse masse avait grandi sous son crâne en l'espace de

> Certains se disent que, moins ils en savent, mieux ils se portent.

quatre mois, mais il a décidé, en toute conscience, d'éviter de se «mettre de mauvaises images en tête». Il ne souhaitait pas se laisser «parasiter», comme il l'écrivait, par une vision de la maladie qui le convaincrait qu'il n'en viendrait pas à bout.

De même, lorsqu'on lui a annoncé qu'il avait un cancer, le psychanalyste québécois Guy Corneau ne voulait pas en savoir plus. On lui a dit qu'il réagissait bien à la chimio; c'était tout ce dont il avait besoin pour préserver l'espoir. Ce n'est que neuf mois plus tard, quand son traitement a été terminé, qu'il a eu le courage de s'informer de la gravité de son état. Sa tumeur était considérée parmi les plus graves, aussi était-il content de ne pas l'avoir su avant!

Lorsqu'une personne n'est pas mise au courant des symptômes prévus de sa maladie, ceux-ci n'apparaissent pas toujours, ou ils peuvent apparaître plus tard, explique Danielle Fecteau. À l'inverse, il arrive que la maladie emporte le malade averti, presque comme si celui-ci avait suivi un échéancier au jour le jour. Des pronostics sur la durée de vie ont été contredits, si bien qu'on peut avoir l'impression que des gens *choisissent,* en quelque sorte, le moment exact de leur mort. Ce n'est qu'une impression, rien de scientifique, mais on a tous entendu parler de ceux qui attendent Noël, ou des autres qui ne partent pour le grand voyage qu'après la visite de leurs enfants.

Le trésor entre nos mains

Quand il est question de maladie, nous craignons parfois d'en savoir *trop*. Peut-être sentons-nous instinctivement que nos peurs peuvent se matérialiser et devenir de véritables cauchemars. Qui sait, il pourrait se trouver à l'intérieur de nous un *Alien* qui dévore nos entrailles, sans que nous en soyons conscients, puis soudain, il sort de notre abdomen et... vous connaissez la suite! N'avez-vous jamais imaginé avoir une maladie critique à votre insu? Parce qu'on a peur de la maladie, on peut passer une partie de sa vie à se tenir loin de *soi,* et devenir étranger à soi-même. On demeure dans son corps tel un visiteur dans un pays qui n'est pas le sien. Et, comme le pressentait le maître des sages, notre trésor reste bien caché.

Nous ne nous connaissons pas beaucoup, alors nous pouvons avoir tendance à laisser les autres penser à notre place et prendre les décisions qui nous concernent. C'est ainsi dans le domaine médical, comme dans les disciplines pour lesquelles nous ne sommes pas calés. Comment réagissez-vous devant les occasions de discuter d'art contemporain ou de haute couture? Vous vous exprimez timidement? Vous écoutez sans rien dire? N'est-ce pas un peu la même chose lorsque vous tombez malade? Avez-vous une idée claire de ce qui se passe dans votre corps lorsque vous souffrez? Connaissez-vous la source de vos maux et ce qui les fait durer? Faites-vous ce qui est *bon* pour vous afin de vous rétablir et d'avoir une vie saine?

Le philosophe américain William James affirmait que les êtres humains ont trop tendance à vivre à l'intérieur des limites qu'ils s'imposent à eux-mêmes. Ces limites, des gens comme vous et moi les ont toutefois dépassées le jour où leur médecin leur a annoncé une très mauvaise nouvelle. Se sachant mal portants, ils ont décidé d'y voir de plus près. C'est alors qu'ils ont découvert leur trésor. Nous n'avons pas à attendre que cela nous arrive. Le trésor est à notre portée, nous pouvons tendre la main pour le découvrir.

Reprenons en main notre trésor!

Le corps est un pays

Dans un coin tranquille, et muni de crayons de couleur et d'une grande feuille de papier, je vous propose de dessiner le contour de votre corps. Ensuite, préparez-vous à représenter différents endroits de votre corps. En prenant connaissance de chacun des énoncés qui suivent, choisissez une couleur qui le représente, puis dessinez ou marquez l'endroit ou les endroits de votre corps qui y correspondent. Pendant que vous dessinez, demeurez conscient de ce que vous ressentez. Si votre corps est un pays...

- quel est votre gouvernement ?

Maintenant, prenez un crayon de couleur qui représente votre gouvernement et dessinez ou marquez l'endroit ou les endroits qui y correspondent. Puis, poursuivez l'exercice. Si votre corps est un pays...

- quelles sont vos frontières ?
- quelles sont vos métropoles (là où c'est surchargé, congestionné) ?
- quels sont vos parcs de récréation, les endroits qui vous donnent du plaisir ?
- quels sont vos déserts, les endroits peu fréquentés ou oubliés ?
- quels sont vos lieux interdits, qu'on ne franchit pas ?
- quel est son taux de pollution ?
- quels sont vos champs de bataille ?
- quel est votre foyer ou votre lieu intime ?

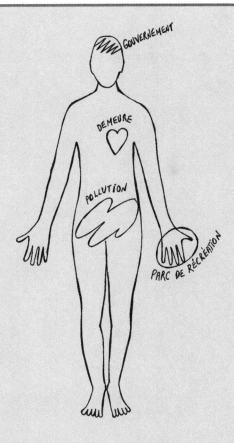

Maintenant, regardez l'ensemble du dessin colorié et répondez aux questions suivantes :

Si mon corps est un pays, quel est l'endroit ou quels sont les endroits

- que vous souhaitez mieux connaître ?
- que vous voulez apprécier davantage ?
- que vous voulez respecter ou traiter avec plus d'indulgence ?

Comment vous y prendrez-vous ?

Si vous en avez envie, vous pouvez partager les découvertes que vous avez faites durant cet exercice avec une personne en qui vous avez confiance.

CHAPITRE 2
Les froussards

Au cours des cinq dernières années de sa vie, mon père a subi plusieurs examens et traitements douloureux. Chaque jour, des prises de sang, dont plusieurs rataient la veine, et des piqûres à répétition sur ses bras mutilés. Des injections, des radiographies, des examens de tomodensitométrie (scans). Plus d'interventions qu'un corps déjà affaibli ne peut supporter.

Au reste, mon père est devenu une vraie pharmacie ambulante. Une capsule pour ceci, une capsule pour cela, et encore d'autres capsules pour limiter les effets secondaires des drogues qu'il avalait. Sans ces remèdes et ces traitements, mon père n'aurait pas survécu... cela ne l'a pas empêché de mourir. Mais ces remèdes ont-ils au contraire contribué à la détérioration de son état ?

En fait, ces remèdes et traitements sont la meilleure solution que nous ayons trouvée jusqu'à maintenant pour soigner nos maux. Quelle chance de pouvoir contrôler la tension artérielle ou de pouvoir se faire débloquer les artères avant que le cœur n'y passe ! Quel miracle de vaincre un cancer ! Sans oublier que quelques cachets peuvent nous permettre de passer une journée sans migraines, ni maux de dos. Par ailleurs, cette solution, si bénéfique soit-elle, cache un problème insidieux d'un tout autre ordre : notre peur de souffrir.

Selon les circonstances, chacun réagit différemment aux affections. Il nous arrive de jouer les endurcis, ne nous plaignant pas, tolérant même trop parfois, le mal qui finit par nous user. Au contraire, il arrive qu'au premier signe de la maladie, nous courions à la pharmacie et nous jetions sur une boîte de pilules. Des pilules pour aider à dormir, des comprimés pour réduire la fièvre, des onguents pour soulager les démangeaisons. Ces remèdes calment la douleur, mais qu'en est-il des substances qu'on ingurgite parfois en grande quantité ou qu'on applique sans modération? Arrive-t-il ce que Molière annonçait dans *Le malade imaginaire*: les hommes meurent de leurs remèdes plus que de leurs maladies?

J'ai découvert que notre peur de souffrir est un réflexe, le tout premier à apparaître chez les êtres vivants. Quand une maladie s'annonce, surtout lorsqu'elle nous paraît sérieuse, notre peur s'active instinctivement. Nous réagissons de la même manière que si nous étions menacés par une bête féroce. Nous paralysons, nous cherchons à la fuir ou à nous battre contre elle.

Troublés par la peur, il ne nous viendra pas à l'esprit que certaines maladies puissent être *utiles*. Qu'elles nous protègent, en quelque sorte. Pas vraiment? Nous cherchons à éviter le mal, d'abord et avant tout. Mais si la maladie avait pour fonction de transmettre des signaux d'avertissement, pour nous forcer à changer les comportements qui sont à l'origine de nos symptômes?

Sachez qu'en disant cela, je ne conçois pas que la maladie ait une raison d'être. D'ailleurs, notre organisme peut se dérégler sans cause apparente. Je crois toutefois qu'il arrive que notre corps nous parle, d'une certaine façon. Il nous dit: « Je suis mal en point, j'ai besoin de repos. » Que faisons-nous, alors? Est-ce que nous nous reposons? Non. Nous neutralisons la maladie grâce à des comprimés et nous attendons... que les vacances arrivent! À force d'attendre les vacances, nous courons le risque d'empirer notre état. Au contraire, si nous nous arrêtons quand les symptômes l'exigent, nous découvrons que nous avons un certain pouvoir de rétablissement sur notre corps. Celui-ci peut se mettre à l'œuvre et activer ses propres remèdes.

Évidemment, tout le monde vous préviendra, il ne faut pas conclure, parce que notre corps produit ses propres remèdes, que les soins les plus élémentaires sont à négliger. Parce que des pilules et des traitements ne sont pas sans danger, il ne faut pas non plus les rejeter du revers de la main. Ne nous rendons pas malades et ne nous laissons pas mourir. Suivons les conseils de notre médecin. Néanmoins, ni celui-ci ni les moyens thérapeutiques qu'il possède ne peuvent faire le travail à eux seuls. Chacun doit se prendre en main s'il veut recouvrer la santé.

> *La maladie est une occasion de changer quelque chose, la douleur est le signe que c'est le temps, ou jamais, de le faire!*

Mourir sur ordonnance

Dans son livre *Mourir sur ordonnance*, le père de famille Terence Young raconte que sa fille Vanessa avait 15 ans lorsqu'elle est décédée après avoir pris un médicament. Elle était en pleine santé. Le médicament en question était habituellement recommandé pour alléger les brûlures d'estomac, mais il lui avait été prescrit pour traiter ses vomissements. Quarante patients étaient déjà morts des effets secondaires de ce médicament. Un avertissement avait été émis de ne pas donner ces comprimés aux personnes souffrant de vomissements à répétition, puisqu'il risquait d'entraîner des arrêts cardiaques. Ce fut malheureusement la cause du décès de Vanessa.

Terence Young raconte qu'une autre jeune fille, aussi âgée de 15 ans, Tiffany, a été victime d'une crise cardiaque causée par un analgésique qui n'était pas recommandé pour les adolescents. Pour sa part, le jeune Bart s'est enlevé la vie après avoir fait usage d'un médicament qui, lisait-on sur le feuillet explicatif, pouvait avoir des effets secondaires et, dans de rares cas, mener au suicide. Sara, elle, était anxieuse, et on lui a prescrit un antidépresseur. À partir de ce moment, son comportement s'est mis à changer radicalement. Elle a commencé à souffrir d'insomnie, à abuser de drogues et d'alcool et, au bout du compte, elle s'est suicidée. Il était aussi indiqué que ce médicament pouvait intensifier les tendances suicidaires.

Des décès comme ceux de Vanessa, de Tiffany, de Bart ou de Sara sont des exceptions. Vous et moi n'avons guère à craindre les remèdes prescrits par notre médecin. Néanmoins, selon une étude des chercheurs de l'Université de Toronto, Jason Lazarou, Bruce Pomerantz et Paul Corey, les réactions nocives aux médicaments se situent parmi les causes les plus importantes de mortalité en milieu hospitalier, après le cancer, les maladies cardiaques et les accidents vasculaires cérébraux.

Comment un médicament pour soulager l'anxiété et des maux courants comme des brûlures d'estomac — pour lesquels nous pourrions recourir à des pastilles vendues sur les tablettes — peut-il nous enlever la vie ? Voilà la question que Terence Young a posée aux experts en la matière.

La plupart d'entre nous croyons qu'un médicament agit à la manière d'une flèche qui atteint une cible. Les experts expliquent qu'en réalité, son effet ressemble plutôt à une pluie de dards. Si on a de la veine, ces dards atteignent l'organe malade et touchent relativement peu le reste de notre corps. Dans le cas contraire, ils affectent d'autres organes et les rendent vulnérables.

Les effets secondaires des médicaments existent, en avez-vous fait l'expérience ? Pour ma part, j'ai généralement été soulagée par les comprimés recommandés par mon médecin. Comme la dernière fois où j'ai contracté une infection urinaire. Vous connaissez ? Quand le médecin m'a remis la prescription, j'avais l'impression que Dieu en personne me donnait un ticket pour sortir de l'enfer qui brûlait à l'intérieur de mon bas-ventre.

Un seul médicament m'a jetée par terre. Lors d'un séjour de quatre mois à Madagascar, j'ai pris un vaccin en comprimés contre la malaria, qui m'a vraiment indisposée. Pendant quelques jours, il m'était impossible de me déplacer, sauf du lit à la toilette pour... vous savez quoi! Je me suis informée auprès d'un pharmacien, qui m'a dit que le vaccin fonctionne *comme si* vous aviez la malaria; il produit les mêmes symptômes et c'est ainsi que vous développez vos anticorps. Dans les bonnes conditions sanitaires où je vivais, il y avait si peu de risques que je contracte la maladie que j'ai cessé de le prendre et m'en suis portée mieux.

Le médecin canadien William Osler, un des plus grands noms de la médecine, déclarait qu'il fallait apprendre aux gens à se passer de médicaments. Au cours de ma recherche, j'ai compris que ceux-ci ne sont pas totalement inoffensifs, même lorsqu'on suit la prescription. D'autres problèmes surgissent lorsqu'on les prend pour autre chose que leur usage premier, comme ce fut le cas de Vanessa et de Sara, mais aussi lorsqu'on dépasse les doses prescrites ou que l'on prolonge sans nécessité une prescription.

Avez-vous entendu parler des effets d'un usage excessif d'antibiotiques? Ces remèdes miracles détruisent de puissants microbes, mais à la longue, ceux-ci acquièrent de la résistance aux antibiotiques, ce qui nécessite le recours à des cachets encore plus puissants. C'est ce qu'on appelle la «pharmacorésistance», une réaction naturelle de notre organisme qui fait que nos cellules s'adaptent à la présence de substances synthétiques et qu'elles finissent par y résister. En fait, le problème, selon l'Agence de la santé publique du Canada, c'est que les antibiotiques tuent toutes les bactéries, les bonnes comme les mauvaises. Ils finissent par affaiblir l'organisme. Sans défense, celui-ci ne peut lutter contre d'autres maladies infectieuses, comme le C. difficile, qui se développe dans une flore intestinale fragilisée par l'antibiothérapie.

Nous avons le cancer, vous et moi!

Autant dire qu'une prudence est de mise à l'égard des médicaments que l'on prend. Comme toute bonne chose, et dans la mesure du possible, mieux vaut en prendre avec modération. Et, comme on dit, il est toujours mieux de *prévenir* que de *guérir*.

Qu'en est-il des interventions qu'on subit? Généralement, elles sont salutaires. La plupart d'entre elles sont nécessaires au maintien de notre qualité de vie, et certaines nous sauvent la vie, tout simplement. Mais peuvent-elles, par contrecoup, endommager notre organisme? Prenons l'exemple de la chimiothérapie. Celle-ci constitue *le* traitement le plus recommandé pour le cancer, mais tous les spécialistes s'entendent pour dire qu'elle a des effets nocifs sur l'ensemble du corps. Rappelez-vous l'analogie de la pluie de dards qui atteint chaque organe.

La chimio nuit au corps même si elle combat le cancer. Lorsque ce traitement ne fonctionne pas, le corps est affaibli, explique le radio-oncologue québécois Christian Boukaram, et il y a des risques que d'autres maladies ou le cancer lui-même en profitent!

Pour sa part, Guy Corneau l'appelle le «suicide chimique». Il faut dire qu'il en sait quelque chose! Chaque traitement était pour lui un moment éprouvant à traverser. Cette substance toxique pénétrait son corps et avait pour effet de diminuer ses globules blancs, les cellules qui étaient supposées le protéger contre les maladies. La conséquence, explique-t-il, est que l'on combat avec peine la dose de poison que l'on vient de recevoir. Puis, on nous injecte de la cortisone pour contrer l'inflammation et les allergies. Cette hormone provoque des décharges d'adrénaline qui nous rendent fébrile. On est «plongé dans un délire chimique, avec des poisons mortels d'un côté et de la cortisone euphorisante de l'autre». Et ce n'est pas tout, après quelques jours, on arrête brutalement les injections de cortisone pour vous éviter la dépendance. C'est alors qu'on se sent totalement misérable.

Christian Boukaram m'expliquait que la chirurgie, la chimio-thérapie et la radiothérapie sont actuellement les seuls moyens de guérir le cancer. Lui-même les recevrait, s'il était malade, me confiait-il. Par ailleurs, les traitements actuels, bien que néces-saires, ne sont ni parfaits ni suffisants. Même si ces méthodes se sont améliorées, leurs effets secondaires peuvent réduire la capa-cité inhérente du corps de se restaurer, car celui-ci est aussi important dans l'équation de guérison. Une fois que les traite-ments sont donnés, disait-il, on croise les doigts. On attend que la personne récupère et que le cancer, lui, ne récupère pas. Parfois, c'est ce qui se passe. D'autres fois, le cancer récidive. Alors, il est plus difficile à traiter, car les meilleurs outils ont été épuisés et la personne est affaiblie par toute la batterie de traitements subis.

Je ne sais pas si vous êtes comme moi, mais cela me fait penser qu'il doit y avoir une manière d'envisager la maladie et les soins d'une autre façon; une qui nous laisse avec l'impression que nous avons un rôle à jouer dans notre rétablissement et notre santé.

Bien qu'encore controversée, une conception nouvelle du can-cer, et de la maladie en général, ainsi que des traitements médi-caux, semble de plus en plus répandue. L'une des découvertes concerne notre potentiel latent de développer la maladie, c'est-à-dire un potentiel qui n'est pas apparent à première vue, mais qui peut se manifester à tout moment.

Prenons le cancer, par exemple. Il semble que nous ayons tous des cellules cancéreuses dans notre organisme. Ce n'est pas une très bonne nouvelle! Nous avons des cellules cancéreuses qui sont détruites quotidiennement par le système immunitaire. Le cancer se déclare de six à dix fois dans notre vie, lorsque les cellules cancéreuses se sont multipliées en très grand nombre et qu'elles sont visibles. Si nous passons un examen à ce moment-là, on nous dira que nous avons le cancer! Quand tout est beau, cela signifie qu'elles sont en si petit nombre que les examens ne les détectent pas.

Cette conception est avancée par les praticiens en médecine intégrative, m'a expliqué le spécialiste en oncologie Christian

Boukaram. Ceux-ci prônent une vision complexe et globale du corps, plutôt qu'une vision génétique simpliste. Elle était aussi partagée par le neuroscientifique David Servan-Schreiber, qui est décédé du cancer et qui s'y est grandement intéressé. On sait maintenant, déclarait-il, que nous avons tous un cancer latent. Vous vous rendez compte ? Nous avons le cancer, vous et moi. Mais seulement une personne sur quatre en meurt, précisait-il. Voilà une deuxième découverte captivante. Nous possédons des mécanismes naturels qui empêchent les tumeurs de se déployer. Quand notre système immunitaire est fort, notre cancer est détruit au fur et à mesure, et aucune tumeur ne se forme. Au contraire, quand il est en mode rattrapage, les tumeurs, comme la plupart des maladies infectieuses, en profitent pour se répandre dans notre organisme.

Quand le corps contient beaucoup de toxines, à cause de la chimiothérapie, par exemple, le système immunitaire ne réussit pas à bien faire son travail. Voilà pourquoi ce traitement n'est pas suffisant pour traiter le cancer. D'ailleurs, aucun traitement médical ne peut à lui seul soigner définitivement les maladies et nous redonner la santé. Nous devons *aussi* faire quelque chose par nous-mêmes pour renforcer nos mécanismes naturels de défense et activer leur plein pouvoir.

Cette vision de la maladie comme un phénomène latent à l'intérieur de nous nous incite à modifier nos automatismes. Si détestable soit-elle, la maladie n'est pas comme de la visite qui arrive à l'improviste. On ne peut pas se cacher derrière les rideaux et attendre qu'elle parte ! L'intrus fait partie de nous, il attend le moment propice pour se déclarer. Généralement, il profite de notre épuisement, de notre stress, d'un choc émotionnel pour manifester ses premiers symptômes. À mon avis, il y a certainement mieux à faire que de capituler sur-le-champ devant lui !

La maladie, notre ennemie?

Sauf exception — les hypocondriaques —, personne n'aime être malade. Vous n'aimez pas être malade, moi non plus. À cause des exigences élevées que nous nous imposons, plus ça va, moins nous tolérons d'être *dérangés* par la maladie. Nous refusons d'être ralentis par des symptômes contraignants. Nous voulons poursuivre notre train-train quotidien comme si de rien n'était.

J'ai un collègue qui prend du Ritalin pour éviter de tomber endormi lors de ses longs voyages en voiture vers les plages du Sud. À d'autres occasions, il donne des calmants à ses filles pour supporter les interminables traversées en avion vers l'étranger. On sait tous qu'il est dangereux de conduire endormi, mais on ne trouve plus le temps de s'arrêter pour faire une sieste. Nos jeunes vivent de l'instantané, ils ont du mal à tolérer les moments ennuyants où il ne se passe rien.

On peut donc en venir à commander à notre corps de rester éveillé grâce à des capsules et de s'endormir grâce à d'autres comprimés. Tout ça est logique, jusqu'à un certain point. Les dérangements occasionnés par les limites de notre corps nous incommodent, ils nous font perdre un temps précieux et nous rendent peu productifs. Dans nos efforts pour maintenir notre *machine* en marche, nos faiblesses ne sont pas les bienvenues. Tout comme la maladie, qui est l'ennemie que nous voulons vaincre. Les remèdes, eux, sont nos alliés!

Un signal d'alarme

Que pensez-vous de l'idée que la maladie puisse avoir une fonction? Elle attire notre attention en nous indiquant qu'un déséquilibre affecte notre corps et que nous devons faire quelque chose pour rétablir cet équilibre. Notre mal de tête indique que nous manquons d'oxygène et qu'il serait bon de prendre l'air, notre fatigue nous informe que nous avons épuisé nos batteries et qu'il est temps de les recharger.

Si nous faisons la guerre à la maladie, nous éliminons un signal destiné à nous aider à mieux comprendre le fonctionnement de notre corps et ses besoins. La maladie nous envoie un avertissement par ses symptômes. Ceux-ci agissent comme le bruit strident d'un détecteur de fumée. Ce bruit est un signal d'alarme pour nous dire que si on n'éteint pas le feu, la maison brûlera. Auriez-vous l'idée de débrancher l'appareil et de vous rendormir en laissant votre maison se consumer ? Non, évidemment. Pourtant, c'est ce que nous faisons quand nous prenons une capsule pour réduire la douleur ou la fièvre et que nous continuons de mener la même routine infernale. Une autre image permet de saisir l'utilité de la maladie. Quand nous conduisons et que le voyant d'essence clignote, nous nous arrêtons à la prochaine station-service pour faire le plein. La maladie est un clignotant qui signale qu'il est temps d'arrêter et de prendre soin de nous.

Quand nous considérons la maladie comme notre ennemie, nous nous battons contre nous-mêmes !

Le psychologue canadien Sydney Jourard déclarait que ceux qui refusent de s'arrêter se consument à petit feu. Nous devenons malades, disait-il, parce que nous vivons une vie à rendre malade ! Par ailleurs, notre existence est interrompue occasionnellement par toutes sortes d'affections, au nombre desquelles on peut compter les migraines, les rhumes, la grippe, la diarrhée ou la constipation. Si ces signaux n'étaient pas ignorés, ils nous permettraient d'éviter qu'à la longue ils se transforment en maladies plus sérieuses.

Notre cerveau est un hôpital!

Notre cerveau commande des opérations qui nous protègent contre la maladie. Le professeur en neurobiologie de l'Université Stanford, Robert Ornstein, et le médecin David Sobel avancent que la fonction principale du cerveau n'est pas de penser, mais de nous garder en vie. Il active ses propres remèdes; il soulage la douleur en utilisant des analgésiques semblables à la morphine. L'enképhaline, par exemple, est une endorphine fabriquée par notre organisme. Lors d'une sensation douloureuse trop intense, elle se fixe à la surface de la membrane des neurones et son rôle est d'inhiber la propagation du signal de douleur jusqu'au cerveau. Elle réduit la douleur, mais aussi, grâce à son effet sur la quantité de dopamine, elle accroît la sensation de plaisir dans notre corps.

En fait, notre cerveau dirige un immense entrepôt de cellules spécialisées dans le but de maintenir notre santé. Sans même que nous en soyons conscients, notre corps produit des micro-organismes qui circulent et détectent la présence de tissus malades. Ces cellules sont appelées les « tueuses naturelles » (*natural killer*). Ce sont des « prédateurs redoutables », déclare le professeur français Éric Vivier, responsable d'un laboratoire spécialisé dans l'exploration de ces cellules. En quelques heures à peine, explique-t-il, elles tuent les cellules malades tout en épargnant les cellules saines. Notre cerveau donne l'ordre de relâcher les cellules tueuses, celles-ci se dirigent directement vers le lieu où se trouvent les sources d'infection et elles réussissent à neutraliser leurs effets. Le tissu malade est détruit par un mécanisme puissant par lequel, selon les mots d'Éric Vivier, les cellules tueuses l'attaquent au « corps à corps » en libérant des substances qui perforent « sa peau », et l'anéantissent.

L'équilibre est alors rétabli, mais ce merveilleux système ne s'arrête pas là. Les cellules tueuses sécrètent des hormones du système immunitaire, des lymphocytes, qui reconnaissent la signature des cellules survivantes à éliminer. Ainsi, selon le professeur Vivier, notre corps conserve «la mémoire de l'intrus», ce qui nous permet de réagir automatiquement lorsque la maladie réapparaît. Grâce à nos cellules, nous pouvons limiter les dégâts.

J'ai mal, tant mieux!

Si la maladie sonne l'alerte lorsqu'il est temps d'une pause réparatrice afin de prendre soin de nous, il est difficile de concevoir que la douleur, elle, soit une bonne chose! Pourtant, elle a aussi son utilité!

En glissant votre plat dans le four, le dos de votre main effleure la paroi brûlante. Ça brûle! Vous retirez votre main prestement. Voilà à quoi sert la douleur. Vous mangez un repas mexicain et le soir même, vous ressentez des brûlures d'estomac. La douleur vous informe que votre organisme n'aime pas les plats épicés ou que vous en avez trop mangé; la prochaine fois, vous ferez plus attention. Vous commencez un entraînement intensif pour perdre du poids. Vous faites le tour du pâté de maisons au pas de course et, en chemin, votre cœur veut exploser, vous arrivez à peine à reprendre votre souffle et vos jambes vous lâchent. Vous réalisez que, pour le moment, la marche rapide est plus à votre portée.

Vous estimez-vous heureux d'avoir mal? Pas trop, n'est-ce pas? Nous n'aimons pas la douleur, elle est injuste. Il est rare que nous nous disions: «J'ai mal, tant mieux!» Pourtant, il semble que la douleur soit vitale.

Saviez-vous que les lépreux sont insensibles à la douleur? Vous vous dites que ce n'est pas si terrible de ne pas avoir mal? En fait, comme la lèpre tue leurs terminaisons nerveuses, durant la nuit, les rats grimpent sur leurs lits, reniflent prudemment et,

Nos cellules nous aident à soigner naturellement.

ne sentant aucune résistance, ils se mettent au travail et rongent leurs doigts des mains et des pieds! Cette découverte horrible, le chirurgien orthopédique Paul Brand l'a faite lorsqu'il s'est rendu en Inde pour aider les lépreux.

Dans le cas des gens atteints de la lèpre, l'absence de douleur dans leurs extrémités est tragique. Un sort un peu semblable est réservé à ceux qui sont affectés par une maladie pernicieuse nommée «l'insensibilité congénitale à la douleur». Pour eux, les gestes les plus anodins peuvent conduire à des blessures, par exemple, se mordre la langue en mastiquant ou se brûler au contact du feu. Ces gens doivent avoir un mode de vie strict, et de nombreux métiers ou sports leur sont interdits. Ce n'est pas la maladie elle-même qui finit par causer leur décès, mais les accidents et complications qui y sont liés.

Voilà la preuve que, sans douleur, nous serions en danger continuel. Y pensons-nous de temps en temps? Quasiment jamais. Lorsque le mal surgit, la première idée qui traverse notre esprit n'est pas «quel privilège!». La première chose que nous nous demandons est «par quel moyen puis-je supprimer le mal?». Nous sommes devenus, selon l'expression de Norman Cousins, des «poules mouillées» devant la douleur. Celui-ci admettait que tout un chacun peut réciter les noms d'une bonne douzaine de remèdes qui peuvent calmer les affections courantes, du mal de tête aux hémorroïdes. En revanche, rares sont ceux qui savent qu'au moins 80 % des douleurs cessent d'elles-mêmes. Or, le principal problème concernant la «médecine d'analgésiques» dans laquelle nous semblons nous complaire est la peur à l'égard de la douleur, et le danger qui nous guette de nous rendre encore plus malades à force de paniquer.

La peur est une semence idéale pour la maladie.

Mal d'avoir mal

Qu'est-ce qui est pire que la douleur ? Pour le savoir, imaginez que vous êtes très mal en point depuis trois jours, avec des nausées et une fièvre qui ne vous lâche pas, et que l'inquiétude vous ronge. Vous avez mal physiquement. En plus, vous avez mal psychologiquement à l'idée que votre condition si mauvaise perdure ! La douleur est la sensation désagréable que vous ressentez dans votre corps, et la souffrance, elle, est la conscience de votre état.

Quand vous souffrez parce que vous avez mal physiquement, c'est que vous avez *mal d'avoir mal*. La souffrance s'ajoute à votre expérience de la douleur physique, ce qui la rend, en quelque sorte, pire que la douleur. C'est ce qui survient lorsqu'un enfant se blesse et qu'après avoir aperçu le regard alarmé de ses parents, il se met à pleurer. Alors, sa souffrance s'exprime.

On dit que la souffrance peut être psychologique, car elle varie d'une personne à l'autre, selon l'attention que chacun accorde aux sensations qu'il éprouve et aux sentiments et pensées qui l'habitent. Plus on focalise sur les sensations de douleur et, par exemple, plus on est inquiet... plus grande est la souffrance. Douleur et souffrance psychologique s'entretiennent mutuellement.

Le médecin américain Milton Erickson expliquait d'autre part que la souffrance psychologique provient de l'évocation de trois sources : les souffrances passées, l'anticipation des souffrances futures et l'expérience des souffrances actuelles. Les deux premières n'existent que dans notre esprit, mais elles représentent les deux tiers de notre expérience. Nous souffrons beaucoup plus parce que notre expérience nous renvoie aux souffrances que nous avons vécues autrefois et à celles que nous craignons d'affronter à l'avenir. Quand nous réussissons à isoler notre souffrance actuelle des deux autres, nous la réduisons au tiers, et elle devient beaucoup plus supportable.

Milton Erickson avait lui-même fait l'expérience d'une manière de diminuer sa douleur. Très jeune, on lui avait diagnostiqué une grave maladie, et il ne devait jamais marcher. Or, il a réussi à diminuer les sensations pénibles qu'il ressentait dans ses jambes en visualisant des émotions positives. L'intensité d'une douleur diminuait lorsqu'il évoquait un souvenir qui l'avait rendu heureux ou un projet agréable qu'il comptait réaliser. C'est ainsi qu'il a défié les pronostics et est devenu une figure importante de la psychologie, connue dans le monde entier.

Grâce à lui, on sait maintenant que les émotions positives permettent de mieux tolérer la douleur. Une expérience connue consiste à mettre son bras dans l'eau glacée aussi longtemps que possible. Il semble que si nous éprouvons des émotions positives (par exemple, après avoir visionné un film drôle), nous sommes capables d'y laisser notre bras plus longtemps que si nous vivons des émotions négatives.

Milton Erickson nous a appris à tolérer la douleur, mais surtout à apprivoiser la souffrance psychologique. Lorsque nous renonçons à nos regrets par rapport au passé, et cessons de nourrir des inquiétudes devant l'inéluctable, la souffrance devient plus supportable. Mais, encore là, le plus grand défi est de dompter la peur de la souffrance elle-même. À ce sujet, le romancier français Pascal Bruckner déclarait que l'homme d'aujourd'hui souffre de ne plus vouloir souffrir. Il ajoutait que cette tendance allait de pair avec le fait que l'on se rend malade à chercher la santé *parfaite*. Au bout du compte, et c'est par ailleurs une conclusion à laquelle je suis arrivée, la recherche de la santé parfaite, la peur de souffrir, d'être malade et de mourir, tout ça risque de nous rendre encore plus malades. Quelle étrange obsession!

Nous avons un incroyable potentiel

Comme nous l'avons vu dans ce chapitre, des comprimés peuvent nous soulager et ne devraient généralement faire de mal à personne. D'ailleurs, certaines situations critiques exigent beaucoup plus ! Pour ma part, chaque fois qu'un médicament ou un traitement apaise mes maux ou ceux de mes proches, je me prosterne devant le génie qui l'a découvert. Mais souvent, le médicament ou le traitement n'est pas suffisant. Utiliser des remèdes sans changer quoi que ce soit à son quotidien ne règle pas grand-chose à long terme. C'est comme jeter de l'eau sur le feu de la maladie sans éteindre le brasier qui l'a attisé.

À bien y penser, nous avons contribué au progrès d'une discipline impressionnante, mais il nous reste à découvrir la science que chacun possède. Grâce à celle-ci, nous pouvons sortir des sentiers battus et inventer une nouvelle façon de faire face au défi de la maladie. La manière la plus intelligente de nous comporter devant celle-ci est de profiter des solutions que la médecine a mises à notre disposition *et* de prendre en main les ressources que nous possédons.

Nous avons un incroyable potentiel qui nous aide à être en santé.

Parfois, nous avons le sentiment d'avoir peu de contrôle sur nos symptômes. Ceux-ci apparaissent sans raison à la suite d'un dérèglement de notre organisme. D'autres problèmes surgissent à notre insu ; nous en héritons de nos parents ou ils se déclarent après un événement traumatisant. Peut-être ne savons-nous même pas ce qui les provoque ; surtout, nous avons peu d'indices sur la manière de les faire disparaître. Nos symptômes résistent à tout ce que nous avons changé : notre alimentation ou nos habitudes de vie. Ils sont là pour rester, nous disons-nous.

Encore une fois, je réalise qu'à bien des égards, nos réactions devant la maladie ressemblent à celles que nous avons devant les épreuves de notre existence. Des gens sont malades autrement que physiquement. Ils sont peinés, déçus, anxieux, frustrés ou en colère. Ils s'accrochent à des ambitions ou à des désirs, mais ils en paient le prix. Au contraire, d'autres s'enlisent dans des routines qui ne mènent nulle part.

Il existe un domaine d'avant-garde en neuropsychologie qui suggère que nous pouvons changer les choses plus que nous le pensons, sans prétendre que nous ayons un pouvoir absolu sur nos maladies. Les plus agressives nous jettent par terre et d'autres, plus sourdes et lancinantes, contaminent notre quotidien. Mais notre cerveau a le potentiel de faire un merveilleux travail qui contribue au rétablissement de la grande majorité de nos affections courantes et joue un rôle majeur dans les maladies plus sérieuses. Des gens ont appris à utiliser ce potentiel dont il est question dans la deuxième partie de ce livre, en ayant des attitudes qui accroissent leurs chances de retrouver la santé et le bien-être.

Qu'est-ce qui se cache derrière vos douleurs ?

Je vous invite de nouveau à vous trouver un coin tranquille, à vous munir de crayons de couleur et d'une grande feuille de papier et à dessiner le contour de votre corps. Sur ce dessin, je vous propose d'indiquer là où se trouve une douleur que vous ressentez ou que vous avez ressentie dans le passé. Choisissez une couleur qui représente cette douleur. Coloriez l'endroit où elle se situe. Pendant que vous dessinez, soyez conscient des sentiments et des pensées qui vous habitent. Ensuite, réfléchissez à vos attitudes à l'égard de cette douleur en répondant aux questions suivantes :

- Quels sont les mauvais comportements ou les mauvaises habitudes qui contribuent à cette douleur ?
- Quels sont les traits de personnalité qui peuvent l'engendrer ?
- Quelles sont les exigences personnelles qui peuvent être à la source de cette douleur ?

Il n'est pas utile de vous culpabiliser si, par exemple, vous réalisez que vous éprouvez des douleurs parce que vous avez l'habitude de vouloir tout faire à la perfection ou de vous en mettre beaucoup sur les épaules. Demandez-vous plutôt quelles nouvelles attitudes envers vous-même vous aideraient à réduire la douleur, en répondant aux questions suivantes :

- Quels sont les comportements sains ou les bonnes habitudes qui contribuent à ma santé ?
- Quels sont les traits de ma personnalité qui favorisent mon bien-être ?
- Quels plaisirs peuvent m'aider à atténuer la douleur ?

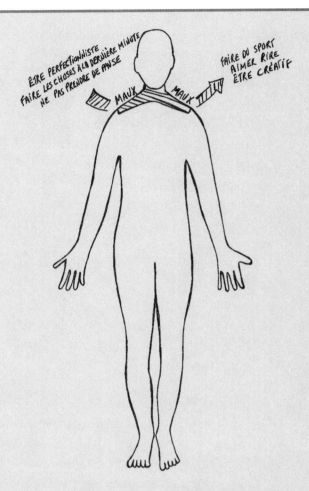

ÊTRE PERFECTIONNISTE...
FAIRE LES CHOSES À LA DERNIÈRE MINUTE
NE PAS PRENDRE DE PAUSE

FAIRE DU SPORT
AIMER RIRE
ÊTRE CRÉATIF

MAUX   MAUX

Maintenant, décidez de faire une plus grande place à l'une de vos attitudes saines, qu'elle soit d'aimer rire, de savoir vous détendre, d'être entouré de vos proches, d'être créatif…

Vous pouvez garder vos réflexions pour vous-même ou partager vos découvertes avec une personne en qui vous avez confiance.

DEUXIÈME PARTIE

Huit attitudes qui peuvent transformer des vies

Lorsque mon père était à l'hôpital, j'ignorais qu'on pouvait vivre la maladie autrement qu'en attendant qu'un remède fasse son effet ou qu'un traitement nous permette de nous rétablir. Sa mort m'a permis de comprendre que les choses ne se passent pas toujours comme on le souhaiterait. Par la suite, j'ai réalisé que cela dépendait aussi de notre attitude.

J'ai rencontré des gens qui adoptaient une attitude différente devant la maladie et qui s'en sortaient mieux. Leur vie en était transformée, malgré les épreuves… *grâce* aux épreuves. Chacune de ces personnes, au départ, vivait sa vie comme si elle n'allait jamais se terminer. Mais quand elles ont été confrontées à une maladie très grave, plutôt que d'être paralysées par l'ignorance et la peur, elles ont essayé quelque chose de nouveau. Elles ont réalisé qu'il leur restait très peu de temps; trop peu de temps pour s'embarrasser d'un lot de contrariétés. Le fait d'être acculées au pied du mur par la maladie leur a permis de revenir à l'essentiel. Les chemins de l'adversité les ont obligées, en quelque sorte, à se libérer du superflu et à mener une vie plus authentique.

Ces personnes ont fait une découverte incroyable qui rappelle la légende suivante. Dans un pays lointain, un homme avait passé sa vie à s'alourdir inutilement. Il passait ses journées à courir avec sur son dos un gros sac plein de cailloux. Il se déplaçait tête baissée et à la hâte, pressé de remplir son sac. Plus les années avançaient, plus le sac devenait lourd et oppressant. Un jour, l'homme, pris d'une intense douleur à la poitrine, s'est arrêté net, est tombé sur ses genoux et a appuyé ses mains sur son cœur. Au moment où le mal se répandait dans tout son corps, en panique, il a soudain levé la tête. Pour la première fois, il a pris conscience que, devant lui, ne restait plus qu'un petit bout de route cahoteuse. Il a réalisé que pour être en mesure de parcourir ce dernier bout de chemin, il devait se départir de son sac plein de cailloux. Avec beaucoup de regrets, il l'a laissé au sol et s'est relevé avec peine. Il a fait un premier pas et, malgré la douleur qu'il éprouvait, s'est senti plus léger. Puis, il a remarqué que le chemin était bordé d'un paysage magnifique. Il s'est rendu compte de la beauté qui l'entourait. Comment n'avait-il pas pu voir ces belles choses avant? Il a entrepris le reste du chemin en remerciant la vie de lui avoir fait connaître un tel moment de plénitude, si bref fût-il.

Nous sommes comme cet homme. Toute notre vie, nous courons, occupés à remplir notre sac de cailloux qui représentent nos exigences et nos désirs. Les années passent, notre sac s'alourdit et notre corps s'épuise. À un point tel qu'un jour nous devons nous arrêter et nous délester de ce qui nous oppresse. Alors seulement nous remarquons les belles choses qui nous entourent, ce qui nous procure un merveilleux sentiment jamais connu auparavant.

Chacun sait, en son for intérieur, comment apprécier pleinement sa vie. Il n'est pas nécessaire d'être sur le point de mourir pour le faire. Inspirons-nous plutôt de ce qui suit…

CHAPITRE 3
Les optimistes

J'aimerais commencer par vous raconter une anecdote qui a eu lieu dans ma ville et qui n'a pas rapport avec la maladie, du moins en apparence. Cela se passait il y a quelques années, lors d'un tournoi de hockey qui clôturait la saison. La dernière équipe de la ligue jouait contre la première, il ne restait que quelques minutes avant la fin de la partie. Comme on s'y attendait, l'équipe-hôte, qui avait perdu durant l'année, perdait encore. Le score était de 4 à 2 et les parents se préparaient à quitter les estrades, cherchant quelques bons mots pour remonter le moral des jeunes. Ceux-ci seraient assurément déçus, car cela signifiait la fin du tournoi, et surtout le retour à la maison, sans médaille et sans honneur.

Étonnamment, les joueurs de l'équipe perdante continuaient de se démener comme des survivants sur la patinoire, et ceux qui attendaient sur le banc fixaient nerveusement le compteur. À quelques secondes de la dernière minute de jeu, contre toute attente, un joueur de cette équipe marqua un but. Le score était maintenant de 4 à 3.

Des parents, quelque peu encouragés, ont repris leur place ; d'autres, incrédules, sont restés debout. La minuterie poursuivait sa course sans ménagement. Trente secondes et c'était toujours

4 à 3. Dix secondes… L'équipe était dans la zone adverse. Des joueurs se chamaillaient pour obtenir la rondelle ; celle-ci leur échappa et glissa sans conviction vers le filet. Le gardien s'avança pour faire un arrêt facile, mais il trébucha. La rondelle passa entre ses patins et rentra lentement dans le but ! Le score était maintenant de 4 à 4.

Les dernières secondes ont défilé rapidement. Le match s'est terminé et a été déclaré nul. Les jeunes de l'équipe perdante n'avaient pas renoncé ; ils avaient profité de la mauvaise fortune de l'équipe rivale pour compter un but. À cause d'un calcul du pointage cumulé depuis le début du tournoi, ils se sont qualifiés pour le match de demi-finale, qu'ils ont gagné de justesse, et ont accédé à la finale. Ils n'ont pas remporté la victoire, mais ont joué cette dernière partie jusqu'au bout pour finalement gagner la médaille d'argent.

Ces jeunes avaient appris une chose que toute personne faisant face à l'adversité devrait savoir. Malgré un score défavorable, la partie n'est jamais perdue tant qu'on reste *dedans* et, à la dernière minute de jeu, on peut encore marquer des points !

Moins le score est favorable, plus la tentation est grande d'abandonner la partie. Qu'arrive-t-il alors ? L'équipe adverse en profite, elle compte des points supplémentaires et les chances de gagner sont de moins en moins grandes. Pourtant, même dans les pires situations, des revirements sont possibles. Dans les années 1970, l'équipe professionnelle de hockey de Montréal, le Canadien, jouait contre les Rangers de New York. Après deux périodes, ils perdaient par un score de 5 à 0. Ils réussirent à remonter le pointage et, grâce à une période supplémentaire, à gagner 6 à 5. Un tel match est certainement exceptionnel, mais il a bel et bien eu lieu !

La vie de gens gravement malades peut ressembler à cette partie de hockey. Parce qu'ils ne renoncent pas, certains s'en sortent, malgré les pronostics. Ce sont des *optimistes* ; ils considèrent leur maladie avec sérieux, mais refusent d'avoir une vision sombre de leur état. Ils préservent l'espoir qu'ils peuvent se rétablir malgré tout.

Ainsi, certaines personnes, même après avoir connu plus que leur lot de mauvaises fortunes, du jour au lendemain, se relèvent! Par contre, une telle volte-face ne s'est jamais vue chez ceux qui abandonnent la partie avant qu'elle soit terminée. Les chances de gagner pour ceux qui renoncent sont presque nulles.

Il semble qu'au hockey, comme dans la vie, ce qui fait la différence n'est pas tant le score, mais l'état d'esprit dans lequel nous abordons notre partie. Tant que celle-ci n'est pas terminée, les optimistes refusent de se voir comme des perdants. D'ailleurs, tout le monde sait que ceux qui se voient comme des perdants à l'avance courent un bien plus grand risque de perdre. Au contraire, s'ils se mettent dans la peau de gagnants, ils ont de meilleures chances de gagner!

Les optimistes ne sont pas naïfs. Au contraire, ils sont brillants! Ils utilisent leur confiance en la victoire à leur avantage. Risquent-ils d'être déçus? Pas plus que les gens qui ont une vision pessimiste des choses! Ces derniers s'imaginent que le pire leur arrivera et se découragent devant les obstacles avant même de savoir s'ils sont réels. Ils entretiennent un discours dans leur tête: «C'est toujours sur moi que ça tombe»; «Je ne réussirai pas». Les optimistes n'attribuent pas leur malchance à eux seuls; ils se disent: «Cette fois-ci, je n'ai pas réussi, mais je ferai mieux la prochaine fois.» Ainsi, ils protègent leur estime personnelle et retrouvent l'énergie pour jouer leur partie jusqu'au bout.

Les optimistes se voient comme des gagnants.

Serez-vous surpris d'apprendre que les optimistes vivent plus en santé et plus longtemps? Si nous avons un seul trait à cultiver, misons donc sur celui-ci! Comme nous le verrons dans les pages qui suivent, notre état mental renforce nos défenses contre la maladie et, d'un point de vue général, il nous prépare à bien réagir aux épreuves.

Le fabuleux destin de Norman Cousins

Norman Cousins était un journaliste scientifique et le rédacteur en chef du *Saturday Review*. Il était atteint d'une maladie inflammatoire de la colonne vertébrale qui faisait en sorte que le tissu entre ses vertèbres se désintégrait. Un spécialiste avait déclaré qu'il n'avait qu'une chance sur cinq de se rétablir. En fait, ce médecin n'avait jamais vu aucun patient dont l'état était aussi grave se rétablir. Selon lui, il devait se préparer à vivre en fauteuil roulant pour le reste de ses jours.

Norman Cousins raconte combien, lorsqu'il était hospitalisé, sa vie de malade était exténuante. Chaque jour, il devait prendre une quantité imposante de calmants. Il devait subir de nombreuses radiographies, tests et prises de sang. Le jour où quatre techniciens, appartenant à quatre services différents, sont venus prélever l'un après l'autre des échantillons de son sang, il a décidé qu'il en avait assez ! Le lendemain, quand ils sont revenus remplir leurs fioles, il les a renvoyés. Cousins relate qu'il a fait mettre sur sa porte une note indiquant qu'il ne donnerait qu'un seul échantillon tous les trois jours et que les différents services devraient prélever sur cet unique flacon de quoi satisfaire leurs besoins respectifs !

Malgré les bons soins qu'il y recevait, il quitta l'hôpital, loua une chambre d'hôtel et décida de se prendre en main. La première chose qu'il constata était que la chambre d'hôtel ne coûtait que le tiers du prix de celle d'un hôpital américain. Quelle aubaine ! Quant aux autres avantages, ils étaient nombreux. On ne le réveillait plus pour lui faire sa toilette, pour les repas ou lui donner des médicaments, pour changer les draps, pour les examens et les prises de sang. Il éprouvait, écrivait-il, un délicieux sentiment de tranquillité qui contribuait à l'amélioration de son état.

Il savait que les substances chimiques qu'il recevait quotidiennement dérangeaient le fonctionnement de ses glandes surrénales, lesquelles jouaient un rôle essentiel dans son système immunitaire. Comme il avait lu d'autre part que la vitamine C ou l'acide ascorbique stimulait les surrénales et pouvait aider à combattre les infections, il a remplacé les calmants par des doses massives de vitamine C.

Norman Cousins avait aussi entendu parler du pouvoir de l'esprit sur la maladie. Il s'est dit que si la dépression réduisait l'immunité, son contraire pouvait l'améliorer. «Rire un bon coup purge le sang», avait-il lu chez l'écrivain anglais Robert Burton. Il a alors tenté une expérience. Il allait s'offrir un divertissement sur mesure. Il a fait projeter des films comiques et a demandé à son infirmière de lui lire les meilleurs livres humoristiques qu'elle connaissait. Il s'est ainsi administré, relate-t-il, des séances d'hilarité. Son état s'est amélioré de façon inouïe! Il a découvert que dix minutes d'un «bon gros rire» avaient sur lui un effet anesthésiant qui calmait ses douleurs et lui permettait de dormir pendant au moins deux heures.

Au cours de cette période, Norman Cousins a pu compter sur la complicité de son médecin. Celui-ci a aussi été impressionné par le fait que le rire atténuait ses douleurs. Il a mesuré les effets de cette thérapie pour le moins originale. L'humeur joyeuse provoquait effectivement des modifications dans le sang. En cinq minutes, il observait une augmentation massive des cellules tueuses envoyées par le système immunitaire, ainsi qu'un accroissement des anticorps et des endorphines, qui ont un effet semblable à celui de la morphine.

Norman Cousins s'est rétabli, semble-t-il, grâce au rire et au jus d'orange, et le prestigieux *New England Journal of Medicine* a publié son récit, qui a ensuite été relaté dans un livre paru en français sous le titre *La volonté de guérir*. Puis, il a terminé sa vie comme professeur à la faculté de médecine de l'Université de Californie à Los Angeles, alors qu'il n'était pas médecin. Pour que son rétablissement profite aux malades, il a publié de nombreux autres ouvrages sur l'effet des facteurs psychologiques sur la santé, et y a consacré toute sa carrière jusqu'à sa mort, plus de cinquante ans après son rétablissement.

Le club des vivants

Norman Cousins ne s'est pas effondré à la suite de son verdict de maladie. Il possédait une vaste culture médicale qui lui a permis de mettre en doute cette phrase lapidaire : « Vous ne vous rétablirez pas, au mieux vous serez en fauteuil roulant pour le reste de votre vie. » En réalité, affirmait-il, personne n'est jamais totalement sûr de l'évolution d'une maladie. Jusqu'au dernier moment, et à la limite, chacun peut toujours croire ce qu'il veut, peu importe la situation à laquelle il fait face.

Norman Cousins a fait plusieurs recherches, à la suite de son expérience, et il a découvert que ceux dont la durée de vie est supérieure à celle prévue par les pronostics s'opposent à l'idée que, fatalement, ils succomberont à leur maladie. Ils croient ou, du moins, ils espèrent, qu'ils feront mieux que les autres. Cette attitude n'a rien à voir avec une vision irréaliste, elle signifie simplement que tant que ces personnes vivent, elles considèrent qu'elles font partie du *club des vivants* !

> *Tant qu'on vit, on peut faire partie du club des vivants !*

Vous savez ce qu'ils se disent, les malades qui se voient dans le club des vivants ? Ils se disent : « Je sais qu'un jour la mort sera au rendez-vous, mais je mets toutes les chances de mon côté pour retarder ce moment. Si cela échoue et si la maladie gagne la partie, j'aurai au moins essayé ! J'aurai fait de mon mieux et je ne serai coupable de rien. »

Les grands sportifs ont un discours qui ressemble à celui-ci. Pour se préparer à une course, ils ne visualisent pas leur défaite éventuelle, mais la façon dont ils la remporteront. Ils se représentent les attitudes gagnantes qu'ils auront tout au long de la compétition. Ils revoient inlassablement des images mentales d'eux en train de réaliser leur meilleure course à vie.

Nous avons tous vécu des victoires dans notre existence. Se les remémorer, en revoyant les gestes que nous avons accomplis et la satisfaction que nous avons ressentie, nous aide à affronter l'épreuve du moment. De cette façon, nous décidons du *club* dont nous désirons faire partie ; le club des optimistes qui se voient encore et toujours vivants.

Refuser de se prendre pour un « malade »

Que font les gens atteints d'une grave maladie quand ils choisissent le club des vivants ? Ils reconnaissent le mal qui les affecte, mais rejettent toutefois l'idée que la partie est perdue d'avance. Ils usent d'un « optimisme réaliste », selon l'expression de la psychologue québécoise Josée Savard. D'un certain point de vue, ces gens acceptent la maladie, mais ils refusent de se prendre pour des « malades ». Ils se disent qu'ils *ont* une maladie, mais qu'ils ne *sont* pas *que* cette maladie. En d'autres mots, la maladie est présente en eux, mais elle n'est pas *tout* d'eux ; des ressources restent intactes et celles-ci peuvent jouer un rôle décisif sur l'issue de leur situation.

Initialement, cette distinction entre *avoir* une maladie et *être* un malade a été présentée par le psychothérapeute australien Michael White et son collègue néo-zélandais David Epston, en parlant, de façon générale, des problèmes des gens. Ceux-ci avaient l'habitude de dire que les gens *ont* des problèmes, mais qu'ils ne *sont* pas ces problèmes.

Chacun peut refuser de se prendre pour un «malade».

Cette conception est radicalement opposée à celle qui considère que les problèmes des gens font partie de leur identité et qu'ils n'y peuvent rien. Ils *sont* des malades ; ce *sont* des cancéreux, des cardiaques, des alcooliques ; ils *sont* dépressifs ou anxieux. Une perspective différente permet de reconnaître que les gens ne sont pas *que* ça. Ils *ont* un cancer, *ont eu* une attaque cardiaque ou *font* des excès d'alcool; ils *ont* une dépression ou des symptôme d'anxiété, mais ils ne *sont* pas *que* ces maladies et ces symptômes, ils ont aussi des ressources qui peuvent contribuer à diminuer l'emprise de la maladie sur leur corps.

Ainsi, refuser de se prendre pour le «problème» ou de se prendre pour un «malade», c'est se considérer comme une personne à part entière. C'est ressentir les forces qui restent disponibles pour triompher de l'adversité. Voyez la différence quand vous vous dites que vous n'êtes pas un «malade», mais que vous *avez* une maladie. Vous n'êtes pas votre «problème», mais vous *avez* un problème. Vous reprenez ainsi du pouvoir sur votre maladie ou votre problème, en évitant de vous identifier totalement à celui-ci.

«Ça ne se passera pas comme ça!»

Norman Cousins a eu l'audace d'interdire qu'on lui fasse subir des traitements pénibles. Il a déniché un milieu plus divertissant et s'est soigné à l'aide de films drôles et de jus d'orange. Aurions-nous le même cran? Serions-nous du genre à dire à qui veut l'entendre: «Attendez un instant. Ça ne se passera pas comme ça! Je vais m'en sortir!»

Norman Cousins raconte l'histoire d'une femme atteinte d'un cancer qui savait exactement à quel moment les choses s'étaient améliorées pour elle, c'est-à-dire au tout début. Le médecin lui avait annoncé que d'après les résultats de ses examens, elle se trouvait manifestement en phase terminale et n'avait plus que quatre à six mois à vivre. Cette dame avait regardé son médecin droit dans les yeux et lui avait dit d'aller se faire voir! Elle avait ensuite ajouté que personne n'allait décider qu'il ne lui restait que quelques mois à vivre. L'histoire ne dit pas ce qui s'est passé ensuite, mais quoi qu'il en soit, cette femme voulait montrer qu'aucun être humain n'avait le droit ni le pouvoir de prédire le moment ultime où elle mourrait.

Le psychanalyste québécois Guy Corneau a vécu une situation similaire. Pour lui, il n'y avait pas de doute par rapport à sa capacité de vaincre son cancer, bien que celui-ci soit jugé très critique. Une fois sorti du bureau du spécialiste, il s'est fait la remarque suivante : « Ce n'est pas la médecine qui va décider de l'issue de cette maladie, c'est moi. » « C'était peut-être un brin prétentieux », convient-il, mais ça voulait surtout dire qu'il était prêt à mobiliser ses forces pour rester en vie. Avec une volonté comme celle-ci, les prédictions n'avaient qu'à bien se tenir !

Que dire de cette résidente de San Diego qui, à la suite d'une biopsie, a appris qu'elle avait une tumeur maligne au sein ? Comme ce diagnostic de cancer lui a été donné dans une autre région que la sienne, elle a fait parvenir les radiographies à son médecin et, de retour chez elle, lui a fait savoir qu'elle était prête à subir l'opération et qu'elle espérait que sa tumeur puisse être retirée rapidement. Son médecin a pris de nouvelles radiographies pour bien localiser la masse. Deux semaines plus tard, il l'appelait pour l'aviser que l'opération devait être annulée. Sa dernière radiographie révélait que la masse était totalement disparue. Les radiographies montraient un sein doux, souple et normal à tous points de vue. Le médecin a admis qu'il venait de se passer quelque chose d'incompréhensible. Sur la première radiographie, la tumeur avait la taille d'une grenade et maintenant, plus rien. Dans la mesure où cette dame ne prenait aucun médicament, il a supposé que son propre organisme avait contribué au rétablissement.

Ce genre de témoignages n'est pas rare. Des gens se rétablissent sans même en être conscients, d'autres luttent délibérément contre la maladie. Norman Cousins raconte encore l'histoire d'un homme, qui était lui-même médecin, et qui avait reçu un avis sans équivoque : le cancer avait atteint ses poumons, ses ganglions lymphatiques et son foie. Il n'avait rien dit à sa femme à ce moment-là, mais il s'était parlé à lui-même. Il avait décidé qu'il allait mettre toute son énergie physique et mentale pour vaincre la maladie. En imagination, il a caressé chacune de ses cellules immunitaires pour qu'elles l'aident à détruire le cancer. Pendant un mois, son état a empiré, il a perdu des kilos, mais il a gardé sa confiance et petit à petit, le courant s'est inversé. Il a repris du poids et des forces. Au bout de six mois, il a su, et son médecin le lui a confirmé, que le cancer avait disparu.

Selon le docteur Fawzy, de l'Université de Californie à Los Angeles, les récidives surviennent surtout chez les malades qui se laissent aller au désespoir. Ceux qui réagissent avec un esprit combatif semblent survivre plus longtemps. Cette forme de dissidence jouerait un rôle décisif devant l'adversité. Le professeur déclarait à cet effet que les patients les plus *butés*, qui ont leur mot à dire, qui se considèrent comme maîtres de leur vie ont plus tendance à se rétablir que ceux qui se soumettent à la maladie.

> *Une personne a plus de chances de s'en sortir quand elle décide de se battre.*

Se relever et se battre

Les gens qui survivent à un pronostic très négatif font la preuve qu'il est possible de changer le cours des choses. Mais est-ce possible pour chacun de nous? Nous n'avons pas nécessairement un optimisme à toute épreuve, ni le réflexe de nous affirmer ouvertement contre l'adversité. Vous voyez-vous refuser les traitements qu'on vous recommande, comme l'a fait Norman Cousins, et vous installer dans un hôtel plutôt qu'à l'hôpital? Pour ma part, non. Et si on m'apportait une mauvaise nouvelle, je n'oserais pas dire à mon interlocuteur d'aller se faire voir!

L'idée n'est pas d'envoyer promener les gens impulsivement ni de se penser au-dessus de ceux qui s'y connaissent. C'est absurde! Il risque de nous arriver la même chose qu'à John Henry, un homme hyper optimiste qui était convaincu qu'il pouvait gagner une course contre un train. Il n'a pas eu l'occasion de célébrer sa victoire, car il s'est effondré raide mort à la fin de sa course! Un trop grand optimisme l'avait tué.

Cela me fait penser au récit relaté par Guy Corneau au sujet d'une grande amie qui avait la conviction de pouvoir guérir par elle-même. Elle a refusé tout traitement médical et a entrepris une lutte agressive contre son cancer à l'aide d'un programme strict de soins alternatifs. Elle a concentré toutes ses pensées sur sa maladie, mais le cancer a profité de son épuisement, en plus de son sentiment de culpabilité; et elle s'est éteinte elle aussi au bout de sa course.

Il n'est donc pas question de faire à sa tête ni de s'en mettre plus sur les épaules en menant le combat seul et sans soins médicaux. Au contraire, on doit prendre les moyens qui sont à notre disposition pour être en meilleure santé *et* garder la conviction d'une issue positive à notre situation.

Quand Guy Corneau a consulté son médecin au sujet de son cancer, celui-ci lui a expliqué que lorsqu'il recevait des gens malades, il était capable de dire dès le premier entretien s'ils allaient se rétablir. Il les regardait tout simplement et il savait. Des personnes qui se complaisaient dans la plainte, affirmait-il, ne s'en sortaient pas. Ceux qui croyaient que tout était possible ne se laissaient pas abattre, et la moitié du travail était accomplie.

Cela étant dit, on ne peut rester là, à y croire sans rien faire. De plus, personne, même parmi les plus optimistes, les plus entêtés ou les plus téméraires, ne croit que *tout* est possible en permanence. Il y a toujours des moments où le doute et l'inquiétude s'installent. D'ailleurs, il n'y a absolument rien d'encourageant dans l'annonce d'une maladie grave, même pour les plus confiants. Recevoir un diagnostic, c'est comme écoper d'une contravention pour excès de vitesse; on n'a pas envie d'embrasser le policier qui nous la donne! Tout le monde a besoin de temps pour digérer une mauvaise nouvelle, un temps plus ou moins long, selon notre force de caractère ou notre sensibilité. Mais au bout d'un moment, nous nous relevons généralement et sommes prêts à affronter l'adversité.

La volonté de vivre

Norman Cousins a trompé la mort grâce à sa farouche volonté de vivre. Comme tous les êtres vivants, nous possédons une tendance naturelle à choisir la vie plutôt que la mort. Le psychologue Carl Rogers illustrait cette tendance en parlant des frêles plantes sur les falaises rocheuses au bord de la mer. Celles-ci grandissent malgré les vagues qui déferlent continuellement. Il parlait aussi des racines de pommes de terre qui poussent dans la complète obscurité d'une cave humide.

Au fond de chacun se trouve une volonté de vivre plus forte que le désir de mourir. Ce qui est vrai pour les plantes sur les falaises ou les pommes de terre est aussi vrai pour nous. Sauf dans des circonstances totalement désespérées — et encore —, notre volonté de vivre peut transformer les situations les plus difficiles en résultats positifs. Mais elle ne nous permet pas de nous en sortir *envers et contre tout*. Et quand nous échouons, il ne sert à rien d'ajouter un sentiment de culpabilité à une situation déjà difficile.

Par analogie, imaginons qu'une difficulté est une bête sauvage. Nous pouvons l'apprivoiser, jusqu'à un certain point. Nous ne pouvons la métamorphoser en un toutou inanimé. Il en va de même pour nos maladies ou nos difficultés. Elles ne disparaîtront pas si nous fermons les yeux et nous imaginons qu'elles n'existent pas, mais nous avons le pouvoir de réduire l'espace qu'elles occupent dans notre esprit et la peur que nous éprouvons à leur égard, comme la peur que nous éprouverions devant un tigre affamé.

En écoutant les histoires de personnes qui ont réussi à dépasser les épreuves, nous pouvons y croire à notre tour. Si toutefois nous ne réussissons pas, il ne faut pas nous blâmer, mais plutôt nous dire que nous avons mis à profit notre confiance dans la vie. Cette confiance profonde et universelle est au service de notre santé et de notre sentiment de bonheur.

Savoir rester dans la partie

Cet exercice vous invite à activer les ressources qui subsistent en vous, peu importe la situation dans laquelle vous êtes placé. Commencez par retrouver, dans vos souvenirs, un moment où vous avez vécu une situation difficile, mais où vous en êtes sorti grandi. Vous êtes *resté dans la partie*, comme les joueurs de hockey dont j'ai parlé au début de ce chapitre. Remémorez-vous en détail cette situation et ce que vous avez fait pour persévérer, malgré les obstacles, et en tirer une leçon de vie. Pour vous aider, répondez intérieurement à ces questions :

- À quel moment cela a-t-il eu lieu ? Que s'est-il passé ?
- Comment ai-je réagi ? Qu'ai-je fait ? Que me suis-je dit ?
- Quelles qualités personnelles m'ont aidé à ne pas renoncer et à tirer profit de cette situation ?
- S'il y a lieu, quelles ressources de mon entourage sont venues à ma rescousse ou m'ont aidé sans qu'elles en soient conscientes ?
- Quelle conclusion constructive puis-je tirer de cette expérience ?

Après avoir réfléchi à cette situation et aux aptitudes qui vous ont permis de vaincre l'adversité, demandez-vous comment ces aptitudes peuvent vous aider à gagner une prochaine partie. Pensez à une situation difficile, présente ou future, et posez-vous les questions suivantes :

- Comment dois-je réagir ? Que dois-je faire ? Que dois-je penser pour que cette situation profite à ma croissance personnelle ?
- Quelles qualités personnelles vont m'aider à trouver une issue positive ?

• Quelles ressources extérieures peuvent me venir en aide?

Si vous le désirez, vous pouvez partager les découvertes que vous avez faites durant cet exercice avec une personne de confiance.

Le club des vivants

Afin de vous rappeler que vous faites partie du *club des vivants*, écrivez des phrases inspirantes comme: «Je suis un gagnant», «Je garde l'espoir jusqu'au bout» ou «Chaque jour de ma vie vaut la peine d'être vécu». Placez-les bien en évidence sur le frigo, la table de chevet ou votre bureau. En les visualisant régulièrement, ces phrases prendront de l'importance dans votre existence.

Pense-bête pour les optimistes

La partie n'est jamais perdue
tant que nous restons «dedans».

À la dernière minute de jeu,
tentons encore de marquer des points.

Abordons la vie comme des «gagnants».

Jusqu'au bout, nous faisons partie
du club des vivants !

Refusons de nous considérer comme
des «malades» ou de croire que le
«problème» vient de nous.

Pour accroître les chances de nous en sortir,
décidons de nous battre.

Notre volonté de vivre est plus forte
que notre désir de mourir.

Mettons notre confiance dans la vie au service
de notre santé et de notre bonheur.

CHAPITRE 4
Les rusés

Quand un enfant a mal au ventre et qu'aucun comprimé ne semble le soulager, ses parents lui présentent un jouet pour le distraire. Des papas font des plaisanteries pour attirer l'attention des tout-petits qui ont de la peine. Grâce à cette ruse inoffensive, les enfants oublient leur mal.

Utiliser la ruse pour oublier le mal est un remède «psychologique» qui agit comme un analgésique ou, selon les occasions, comme un stimulant. Tout le monde le fait, quelques fois par jour. Nous le faisons quand nous rêvassons à nos projets de fin d'après-midi ou de week-end, ou quand nous feuilletons une revue ou le journal. Ces intermèdes nous changent les idées et nous redonnent l'énergie nécessaire pour continuer notre besogne.

Se changer les idées, dans des circonstances qui s'y prêtent, est une sorte de *déni* qui fait du bien! Le déni est pourtant banni des psychologues, qui le considèrent comme une «fuite de la réalité». Il consiste, dans le langage commun, à se distraire d'une chose désagréable. Lorsque nous sommes malades, il nous autorise à ne pas nous sentir totalement accablés par nos douleurs et nos pertes. Le plus souvent, il n'empêche pas de voir la situation telle qu'elle est. Au contraire, cette distraction permet de retrouver l'aplomb qu'il faut pour affronter la source de nos ennuis, en temps opportun.

De grands malades réussissent aussi à oublier momentanément leur souffrance. Ils sont *rusés*. Ils se servent de leur ingéniosité pour dissimuler ce qui leur paraît intolérable, en s'absorbant totalement dans une activité distrayante. Ce stratagème leur permet de se «tromper eux-mêmes». C'est astucieux et, dans le cas de gens extrêmement mal en point, cela peut être vital! Certains, comme mon ami Fernand, dont vous lirez l'histoire dans les prochaines pages, considèrent aujourd'hui que cette ruse leur a sauvé la vie.

La passion de Fernand

Le jour où le médecin lui a annoncé qu'il avait le cancer, Fernand s'est tout de suite demandé comment il pourrait vaincre ce mal. L'oncologue lui offrait des traitements de chimiothérapie, mais quelles étaient ses chances de guérir? Une personne atteinte d'un lymphome non hodgkinien, ce dont il était atteint, avait une espérance de vie de cinq à huit ans.

Au reste, son voisin venait de mourir d'une tumeur maligne à la gorge après avoir subi deux interventions chirurgicales pénibles. Celui-ci avait accepté les interventions en espérant pouvoir se rétablir, mais il avait souffert inutilement. Fernand ne voulait pas endurer ce calvaire pour apprendre un peu plus tard qu'il était condamné.

Malgré ses appréhensions et les statistiques peu encourageantes, il a décidé d'engager une bataille en règle, avec la détermination de celui qui regarde son verre à moitié plein plutôt qu'à moitié vide. Toutes les trois semaines, après chacun des traitements de chimiothérapie, une grande fatigue l'envahissait, et ce n'est qu'au cours de la troisième semaine qu'il s'en remettait, assez pour recevoir le traitement suivant. Chaque fois, il espérait que celui-ci soit efficace. Jamais il ne pensait à la mort. Une seule idée l'habitait, celle d'avoir le dessus sur la maladie.

Malheureusement, quelques mois après la fin des traitements, les cellules cancéreuses ont réapparu. Cette mauvaise nouvelle aurait dû l'abattre, mais elle eut plutôt l'effet de le fouetter. S'il avait perdu une bataille, pensait-il, il n'avait pas perdu la guerre. La victoire était encore possible. Lorsqu'on lui demandait de ses nouvelles, il répondait que son «petit» cancer se portait bien; cependant, loin d'être *petit*, son cancer se répandait dangereusement!

Après un nouveau protocole d'intervention, qui ne suffit pas à enrayer le cancer, le médecin lui a proposé une autogreffe de cellules souches. Mais ce traitement allait affaiblir son système immunitaire au point qu'il ne pourrait plus combattre aucun microbe. Même s'il n'était sûr de rien, Fernand a fini par donner son aval au traitement. On a d'abord prélevé des cellules souches de son sang. Par la suite, on lui a administré un traitement très puissant dont le but était de détruire tout ce qui restait de son cancer. Puis, on lui a transfusé ses cellules souches renouvelées.

Quelque temps après l'hospitalisation et la transplantation des cellules souches, les résultats de l'examen du prélèvement sanguin ont révélé… une deuxième rechute fulgurante, avec de nouvelles excroissances au cou et le retour de la maladie. En plus, la tumeur était devenue très agressive.

Le médecin semblait sans réponse devant cette invasion. Il a tout de même proposé une autre série de traitements. Cette fois, Fernand a longuement hésité. Il n'en pouvait plus de sentir l'odeur de la chimiothérapie et d'éprouver de grandes faiblesses. D'autre part, le médecin le mettait en garde: sans ces traitements, il ne verrait pas le prochain Noël — ils étaient en octobre! Fernand a réfléchi. Puis, il a fini par consentir au traitement. Mais la pensée de son ancien voisin venait le hanter. Allait-il finir ses jours comme lui?

Pendant la période qui a suivi, il a pris une décision qui, sans le savoir, allait être essentielle à son rétablissement. Il a décidé qu'il était temps de centrer son attention sur autre chose que la maladie. Tout en acceptant de subir les traitements de chimiothérapie, il a décidé de prendre soin de son corps. Il s'est reposé davantage et a pris des suppléments qui ont renforcé son système immunitaire. Mais aussi, il s'est consacré à un projet qui l'animait: faire de la gravure. Il a découvert l'art de la gravure, une nouvelle passion qui a occupé totalement son esprit pendant des heures. Durant ce temps, il oubliait son cancer. Un autre bénéfice auquel il n'avait pas pensé, cette activité lui apportait du bonheur, ce qui renforçait sa santé mentale.

Les jours précédant le quatrième traitement de chimiothérapie, il a eu la sensation inébranlable qu'il était rétabli. Il ressentait un équilibre qu'il n'avait pas connu depuis le début des interventions. Lors du rendez-vous avec son oncologue, il lui a annoncé à brûle-pourpoint: «Docteur, je pense que je suis guéri et je refuse de prendre le quatrième traitement.» Le médecin ne voulait pas le croire et a insisté pour qu'il continue de recevoir ses soins. Fernand a répété sa demande et le médecin a exigé qu'il prenne un rendez-vous au service d'imagerie. Dès le lendemain, il passait un scanner. Immédiatement après, il obtenait la permission d'en visionner les images, en présence des spécialistes en médecine nucléaire. Ils lui ont annoncé, et Fernand l'a constaté avec eux, que pour la première fois, il n'y avait plus de trace de cellules cancéreuses.

Aujourd'hui, huit ans plus tard, Fernand est toujours en rémission. Les médecins qui étaient chargés de son cas ne comprennent pas ce revirement de situation. La seule chose qu'ils peuvent dire est: «Vous devriez être mort depuis longtemps.» Fernand, pour sa part, croit qu'il a été profitable de modifier son comportement devant la maladie. Dorénavant, il se sent privilégié de goûter aux plaisirs que lui offre chaque jour de son existence. Et, il continue de prendre soin de lui et de… faire de la gravure!

La fameuse courbe normale

Lorsque son médecin lui a déclaré qu'il ne verrait pas le prochain Noël, comment devait réagir Fernand? Devait-il le croire?

Que serait-il arrivé s'il l'avait cru ? Tout en recevant les soins appropriés, mais n'en faisant qu'à sa tête sur le plan psychologique, Fernand s'est écarté du scénario annoncé par les spécialistes et a surpris les statistiques. Il a survécu, alors que, selon les prévisions, il aurait dû succomber.

Un de mes professeurs à l'université disait que la science ne nous présente souvent qu'une seule partie de la réalité. Ce n'est pas que les chercheurs ont de mauvaises intentions (il était lui-même un scientifique reconnu), mais il laissait entendre qu'il était tout simplement impossible de montrer l'ensemble d'une réalité, ni de prévoir ce qui surviendra dans le futur.

Les connaissances scientifiques reposent sur une image réduite, simplifiée, momentanée et passagère de la réalité. Cette image ne couvre pas *tout*, et surtout, elle ne correspond pas nécessairement à la singularité de chaque situation. Par exemple, elle tient rarement compte du fait que certaines personnes qui tombent malades changent leur manière de vivre leur quotidien, comme l'a fait Fernand, et que cela a une incidence sur l'issue de leur maladie. Voilà la raison pour laquelle des histoires comme la sienne semblent défier les lois.

Pourquoi est-il difficile de prédire le sort de Fernand ? Comment expliquer que celui-ci puisse faire mieux que le pronostic annoncé par ses médecins ? Si vous avez eu des cours de statistiques, vous vous souvenez peut-être des fameuses courbes en forme de montagne dont les flancs s'allongent aux extrémités. Le haut de la courbe représente le résultat de la majorité des gens qui ont participé à une étude. Ce sont ceux qui, par exemple, étaient atteints d'un cancer en phase terminale et sont morts au bout de quelques mois. C'est de cette courbe normale dont parlent les experts lorsqu'ils affirment que les gens n'ont pas de chance de s'en sortir. Mais d'autres personnes se trouvent à une extrémité de la courbe ; ce sont celles qui se rétablissent contre toute attente. Même un pourcentage très élevé de 90 % de mortalité cache un taux de 10 % de personnes qui vivent quelque chose de différent.

Lorsqu'on dit à un patient que sa condition est critique et qu'il n'a que deux mois à vivre, on déduit qu'il fait partie de la grande majorité de ceux qui sont au sommet de la courbe normale. On oublie qu'il peut faire partie des autres qui réagissent d'une façon distincte et qui, exceptionnellement, n'en meurent pas.

Il faut dire aussi que les preuves scientifiques se basent toujours sur une proportion de la population plutôt que sur l'ensemble de celle-ci. Le seul fait qu'elle ne représente pas «tout le monde» suppose que des gens peuvent avoir une expérience singulière. Faisons un petit calcul. Des chercheurs décident de mener une étude pour savoir combien de temps une personne atteinte d'une maladie dite «incurable» peut survivre après son diagnostic; imaginons qu'ils recrutent 3000 patients et les suivent durant 5 ans. Sur ce nombre, 2700 meurent au cours de cette période. Les chercheurs concluront que 90 % ne s'en sortent pas. Cela paraît énorme, mais quand on y regarde de plus près, il y a tout de même 300 personnes qui dépassent les 5 ans. Certaines en réchapperont peut-être définitivement.

> *Chacun peut être l'exception qui défie la règle.*

Vous savez ce que donne, sur le total de la population mondiale, un avis scientifique basé sur 3000 patients? Cela représente 0,00000043 %. Même si l'on observait autant de personnes malades que le nombre d'habitants d'une grande métropole comme Montréal, disons 3,5 millions, cela ne représenterait que 0,0005 % de la population mondiale. Cette réalité laisse tout de même un peu d'espoir aux gens qui préfèrent croire qu'ils survivront malgré les prévisions; qu'ils sont l'exception à la règle.

Le déni, la bête noire

Qui a envie de croire qu'il se rétablira parce qu'il se trouve à une extrémité de la courbe normale? De penser que sa tumeur n'est qu'une tache sur la radiographie, une erreur diagnostique? On en a tous secrètement envie! On veut tous s'imaginer que ce n'était qu'un mauvais rêve et continuer notre vie comme si de rien n'était. Mais il paraît qu'on ne devrait pas. On ne devrait pas se laisser aller à de telles fantaisies! Les psychologues appellent ce genre de réaction du «déni».

Fernand n'a pas été dans le déni; il a pris son cancer très au sérieux, il a subi toutes les interventions recommandées. Seulement, comme sa situation empirait, il s'est dit que les traitements ne suffiraient pas. C'est alors qu'il a décidé de *faire* quelque chose; il a pris soin de sa santé physique et psychologique. Il s'est en outre investi dans une activité qu'il aimait et qui lui faisait oublier sa maladie. Le jour où il s'est senti guéri, il a demandé que les traitements cessent.

D'autres personnes font comme si aucun danger ne menaçait leur corps. Elles réagissent par le déni. Elles ont tendance à éviter de faire face au problème en niant son existence. Elles sont parfois si effrayées par la maladie qu'elles préfèrent ne jamais y penser, ne jamais en parler, quitte à ne pas se soigner.

Des psychologues convaincus que ces comportements sont très néfastes exhortent les gens à éviter le déni. Ils affirment qu'il ne faut pas substituer les pensées angoissantes par de plus réconfortantes, car celles-ci donnent un faux sentiment de sécurité, ce qui, à moyen terme, peut aggraver la maladie. Certains vont même jusqu'à dire que le fait de vouloir se rassurer revient à éviter de faire face à la réalité!

Oublier momentanément ses problèmes aide à les affronter en temps opportun.

Quand les spécialistes considèrent toute forme de déni comme une fuite de la réalité — qu'ils appellent d'ailleurs une «fuite vers la santé» —, ils jettent le bébé avec l'eau du bain. La santé est toujours une question d'équilibre. Plonger totalement dans son problème de manière à en saisir les moindres détails peut être utile jusqu'à un certain point. D'autre part, si on ne fait que regarder

« ce qui ne va pas », on se démoralisera ! Parfois, la meilleure façon de se remettre en état est d'oublier momentanément ses difficultés, en regardant un film comique, en se dorlotant ou en prenant un café avec un ami, pour ensuite les envisager courageusement.

Des illusions loin de l'angoisse

Des professionnels pointent du doigt le déni. Ils veulent empêcher qu'on se fasse de fausses idées. Il est vrai qu'à la longue, le déni finit par étouffer la personne et l'empêcher de dépasser ses peurs. Mais à trop vouloir protéger les gens des moyens qu'ils trouvent pour diminuer leur anxiété, on les empêche de faire des choses tout aussi naturelles que nécessaires pour leur santé.

Certaines illusions positives constituent un subterfuge qui permet d'échapper aux horreurs de l'existence. Sans elles, nous ne survivrions pas. Chaque jour, si nous considérions la réalité de façon totalement lucide, nos maladies et nos imperfections, notre planète polluée, les soldats à la guerre, les enfants maltraités... nous ne pourrions probablement pas nous lever le matin, ni nous endormir le soir. Les illusions positives se mettent en place de façon à bloquer des émotions qui pourraient nous empêcher de fonctionner et nous abîmer inutilement.

Il est nécessaire de savoir manier nos ornières de façon à cacher une réalité trop douloureuse. Quand on prétend que le déni est mauvais, on considère la réalité de façon absolue. Bien sûr, il y a le déni malsain et chronique, mais on omet de mentionner que des illusions sont indispensables à notre survie. Certaines d'entre elles, quand elles servent de distractions temporaires pour éloigner la douleur et lutter contre le sentiment d'impuissance, peuvent contribuer au retour à la santé.

Des gens gravement malades réussissent à oublier un peu leur mal et finissent par se convaincre qu'ils peuvent s'en sortir, mais se le font reprocher. Et si, au contraire, les illusions positives leur servaient à « acheter un temps précieux loin de l'angoisse », comme l'écrit Guy Corneau. Si, pour eux, ce n'était pas tant un refus de la réalité, mais un refus de la condamnation. Si, pour chacun de nous, c'était un moyen d'éviter que des images terrorisantes nous empêchent de fermer l'œil, que des attitudes négatives détériorent davantage notre immunité. Si c'était une manière de prêter attention à nos possibilités plutôt que de nous laisser submerger par nos limites. Voilà plusieurs bonnes raisons d'accepter, en toute connaissance de cause et sans culpabilité, de s'offrir une période de déni — qui n'est pas, en soi, mauvais.

Une ruse bien dosée

Les gens rusés possèdent la capacité de se distraire momentanément de leurs problèmes en s'absorbant totalement dans une activité. Fernand ne pense plus à ses soucis en confectionnant des gravures, qu'il utilise comme estampes et qu'il imprime ensuite sur du papier de toutes les couleurs. Le résultat est de toute beauté. D'autres personnes jardinent, font de la natation, se promènent dans la nature, écoutent de la musique inspirante. À l'aide de ces activités, elles prennent une distance par rapport à leurs souffrances et retrouvent un peu d'entrain.

Même avec sa santé très hypothéquée, le violoncelliste espagnol Pablo Casals voyait ses symptômes s'estomper dès l'instant où il s'adonnait à sa passion. Il avait 90 ans et était affligé par les infirmités de l'âge. Il se déplaçait difficilement. Les seuls moments où il était capable de surmonter ses handicaps étaient ceux où il jouait du violoncelle. Chaque jour, ce chef d'orchestre et compositeur faisait un miracle ; il se levait, allait jusqu'à son violoncelle et se mettait à jouer comme aucun autre musicien ne savait le faire. Tandis que, du matin au soir, il peinait à se mouvoir et en arrachait pour accomplir des gestes de la vie quotidienne, quand il saisissait son instrument, il retrouvait tout d'un coup son talent d'interprète souple et extrêmement doué. La liberté qu'il trouvait dans sa passion pour le violoncelle était, pour Pablo Casals, sa cortisone. Quelle est votre cortisone ? Quelle activité vous fait vous sentir bien dans votre peau ?

> *Les passe-temps agissent comme un antidote à nos souffrances.*

Grâce à des passe-temps captivants, des artistes deviennent les virtuoses qu'ils étaient jadis ; d'autres défient les prédictions. Norman Cousins racontait que, quelque temps après avoir survécu à sa maladie inflammatoire, les médecins de sa compagnie d'assurances ont décelé un blocage dans ses artères coronariennes. Ils lui ont conseillé fortement de garder le lit. Abattu par cette nouvelle, il a été obligé de renoncer à son travail, à ses voyages et à la pratique du sport, ce qui était pour lui inconcevable. Il a alors pris la décision de continuer à faire ce qu'il aimait. Après quelque temps, il a fait ses calculs ; son cœur lui avait fourni 876 946 280 battements de plus que les prévisions des médecins de la compagnie d'assurances, en s'adonnant à ses activités préférées.

Nous n'avons pas à suivre son exemple à la lettre et, évidemment, toute distraction n'est pas sans danger. Ne prenons pas le risque d'empirer notre condition par la pratique d'un sport extrême, ou d'une activité qui dépasse nos limites physiques. Ce n'est pas non plus une bonne idée de céder à toutes nos envies — se ruiner au centre commercial ou faire des excès de nourriture — pour la seule raison que l'on a un faible pour le magasinage ou la bonne bouffe ! Il est important de continuer à faire ce que nous aimons sans pour autant se blesser, vider nos poches ou secouer notre estomac !

Ne pas se casser la tête

Vous arrive-t-il d'avoir mal à la tête à force de ruminer vos problèmes ? À ce propos, on dit que le meilleur moyen de briser le cercle vicieux engendré par les pensées négatives est de nous concentrer sur des pensées plus positives. Difficile de toujours réussir? Si c'est votre cas, il ne sert à rien de vous critiquer. C'est comme ça pour tout le monde.

Les gens qui déjouent leurs problèmes ne sont pas aveugles par rapport ceux-ci, mais ils ne restent pas emprisonnés dans le cercle vicieux des pensées négatives. Régulièrement, ils pensent à ce qui subsiste de *bon* dans leur existence. Ils renouent avec leurs talents, leurs bons coups, et cela leur rappelle qu'ils sont capables de surmonter leurs difficultés actuelles.

Je dis parfois à mes patients qu'ils sont plus futés qu'ils ne le pensent. Parmi eux, Ariette était venue me rencontrer parce qu'elle se sentait complètement démunie devant son récent diagnostic de diabète. Elle broyait du noir. Je lui ai alors demandé de ne pas se forcer à voir les choses positivement. Pendant un moment, nous avons mis de côté cette situation pénible sans nous obliger à chercher des solutions. Elle allait se divertir un peu en occupant son esprit à autre chose. Je lui ai proposé de trouver, dans ses souvenirs, un problème tout à fait différent auquel elle avait réussi à trouver une solution.

Elle m'a alors parlé d'une période dans sa vie où elle se réveillait la nuit et avait beaucoup de difficulté à se rendormir. Elle s'est souvenue de l'une de ces nuits où elle s'était réveillée en se disant intérieurement qu'encore une fois, elle passerait quelques heures à tourner en rond. Au point où elle en était, elle avait eu l'idée de sortir pour prendre l'air. C'était vraiment magnifique; le ciel était plein d'étoiles. Elle avait eu envie de marcher le long du chemin obscur et désert, à cette heure tardive. L'humidité de l'automne faisait ressortir l'odeur des feuilles mortes. La lune jetait un faible éclairage sur la rue incroyablement paisible. Après cette promenade nocturne, elle est retournée se coucher avec un tel sentiment d'apaisement qu'elle n'a eu aucun problème à s'abandonner au sommeil. Elle m'a expliqué qu'à partir de cette nuit, elle a pris l'habitude de faire une longue marche avant de se mettre au lit, ce qui, progressivement, a réglé son problème d'insomnie.

En me racontant cette anecdote, sans s'en apercevoir, Ariette avait retrouvé le sourire. Elle réalisait qu'elle n'était pas dépourvue de ressources. Si elle avait pu, dans cette circonstance, trouver une issue à son problème de sommeil, elle pouvait affronter la situation qui la tourmentait.

Prendre un répit

Une personne affligée est inévitablement habitée par des pensées négatives. Ces pensées amplifient les effets de ses malaises. Elles créent un cercle vicieux. Dans le cas d'une personne malade, l'accent mis sur les symptômes et la souffrance psychologique accroissent son angoisse. À son tour, l'angoisse affaiblit le système immunitaire et peut accélérer la propagation de la maladie.

C'est ainsi pour chacun de nous. À certains moments, des scénarios tragiques nous obsèdent. Nous ressassons les mêmes idées, inlassablement. Notre esprit s'y perd et nous sombrons dans un gouffre qui nous empêche de voir les choses de façon réaliste. À ce moment, rien ne sert de chercher une solution, nous avons surtout besoin de prendre un peu de répit.

Surtout quand on est sérieusement malade, il est impossible de se transformer en clown. On ne peut être en liesse à volonté, en se disant: «Ça suffit les idées noires.» Mais une petite diversion qui n'a aucun rapport avec la situation qui nous accable suffit parfois à alléger notre esprit.

Personne n'échappe au cercle vicieux des pensées négatives, mais tout le monde peut se donner un répit.

Voici un truc qui peut vous aider quand vous vivez des moments pénibles: ramenez à votre conscience un souvenir heureux. Revoyez le splendide paysage qui a surgi lors d'une récente balade. Imaginez-vous en compagnie d'un ami qui a le don de vous réconforter ou de vous faire rire.

D'autre part, la perspective d'un avenir meilleur remonte le moral à la plupart des gens. Quand vous traversez une période tourmentée, évoquez le week-end qui s'en vient, au cours duquel vous pourrez traîner. Ou encore, songez à un souper entre amis ou à une fête en famille qui vous emballe. Ces rêvasseries seront comme une pause dans une journée remplie; après y avoir vagabondé un moment, vous vous sentirez prêt à affronter vos mésaventures.

Votre cerveau est aux commandes

Vous avez déjà passé une nuit blanche à cogiter, comme Ariette? Si les soucis interfèrent avec le sommeil, cela suppose que les pensées gouvernent en partie le corps. L'influence du cerveau sur l'organisme laisse peu de doute quand on pense, par exemple, que des fantasmes sexuels provoquent une excitation… qui est bien visible chez les hommes, et qui contribue à l'orgasme! Les cauchemars ont aussi le pouvoir d'engendrer des réactions tangibles. Imaginez que vous êtes dans un immeuble en feu. Vous êtes au 50e étage et il n'y a aucune issue. La seule option qu'il vous reste est de vous lancer dans le vide. La fumée commence à remplir la pièce; d'une minute à l'autre, le feu vous atteindra et vous serez brûlé vif… puis, vous vous réveillez, le cœur en chamaille et couvert de sueur. Par contre, si vous rêvez à une scène paisible, un séjour de détente dans un spa ou une soirée au coin du feu, votre rythme cardiaque s'apaise et votre respiration devient plus profonde.

Les gens rusés savent que leur cerveau est aux commandes, ils s'en servent pour reconquérir leur bien-être. Ils sont au courant, notamment, qu'un état mental confiant, tout en gardant les deux pieds sur terre, est favorable au retour à la santé. Ce phénomène psychologique a été démontré maintes fois. Dans des termes scientifiques, il est appelé «l'effet par anticipation». En d'autres mots, il signifie que si l'on se centre sur l'idée qu'on prendra du mieux, cela risque d'arriver, mais si l'on se convainc qu'on sera plus mal en point que jamais, cela peut aussi arriver!

L'effet par anticipation n'a aucun rapport avec une quelconque faculté magique. Les chercheurs ont démontré que cet effet survient tout simplement parce que les gens remarquent ce qui confirme leurs attentes. Des personnes malades s'attendent à s'en remettre, alors elles portent attention aux signes qui montrent qu'elles sont plus éveillées, qu'elles ont plus d'assurance en se levant du lit ou que leur douleur est moins intense. Ensuite, sans en être conscientes, elles agissent de manière à générer leurs attentes. Au réveil, elles ouvrent grands les yeux et s'intéressent au va-et-vient dans la chambre. Elles s'étirent avant de se mettre debout et relâchent leurs crispations, ce qui diminue la douleur. C'est ainsi qu'un *cercle positif* se met en branle et, comme prévu, qu'une amélioration se produit.

On peut se servir de son cerveau pour provoquer un effet positif sur son corps.

Il y a une chose plus incroyable encore au sujet de l'influence du cerveau sur notre santé. Dans le domaine pharmaceutique, on a vu qu'avec des gens convaincus qu'ils seront soulagés en prenant un médicament ou, au contraire, qu'ils éprouveront des symptômes incommodants, ces effets se manifestent, même si le cachet ne contient aucune substance active, par exemple, si c'est un placebo. Et ce n'est pas simplement une perception, des réactions visibles sont observées dans leur organisme.

À ce sujet, l'anecdote la plus déroutante que j'aie lue est celle d'un patient connu sous le nom de M. Wright qui se mourait d'un cancer. Des tumeurs de la grosseur d'une balle de baseball étaient visibles sur son cou, sa poitrine, à l'abdomen et à l'aine. Il ne semblait plus y avoir d'espoir, mais il tenait absolument à recevoir une dose d'un remède qu'il croyait prodigieux, le Krebiozen. Après une seule dose, les tumeurs diminuèrent de plus de la moitié. Dix jours plus tard, il recevait son congé de l'hôpital.

Malheureusement, quelques mois plus tard, de mauvaises nouvelles au sujet du médicament sont parvenues aux oreilles de M. Wright. Celui-ci est alors retourné à l'hôpital; son cancer avait réapparu, plus étendu que jamais. Le médecin a alors eu l'idée de lui faire croire qu'une formule améliorée du médicament était en expérimentation. Celle-ci donnait de bons résultats et des patients dans un état critique se rétablissaient. Avec son accord, il la lui a administrée, mais en réalité, il ne lui donnait que des comprimés inoffensifs dont l'apparence était similaire au Krebiozen. Très peu de temps après, la tumeur diminuait et la rémission était presque totale. Le rétablissement de ce patient a duré jusqu'au moment où il a été mis au courant que le remède qu'il croyait avoir pris ne pouvait guérir le cancer. Le pauvre homme est mort un peu plus tard.

L'esprit, plus que le remède, semble avoir joué un rôle dans le retour spontané à la santé et la rechute subite de M. Wright. Des irréductibles déclareront que ceux qui pensent se rétablir malgré un pronostic très sombre sont plutôt naïfs! Qu'en dites-vous? Des patients comme celui-ci sont-ils moins intelligents que ceux qui doutent de leurs chances de s'en sortir? On peut dire ce qu'on veut, mais croire en quelque chose, notamment en son rétablissement éventuel, peut être déterminant.

L'auteur Danielle Fecteau précise que, selon les études, les personnes qui sont persuadées qu'elles prendront du mieux se rétablissent plus souvent que celles qui ont une vision fataliste de leur condition. Plusieurs découvertes ont été faites au sujet de l'influence de l'esprit sur le corps. Dans ce cas, le placebo semble produire une rétroaction immédiate; à la suite du stimulus, l'organisme produit des hormones qui contribuent à la régénération du métabolisme. Des témoignages inimaginables, un peu comme celui de M. Wright, ont été rapportés au sujet de gens qui se sont rétablis parce qu'ils

Derrière l'effet placebo se cache le pouvoir de notre cerveau.

étaient persuadés qu'ils prenaient un bon remède, alors que c'était un faux médicament. D'autres sont décédés parce qu'ils étaient convaincus que c'était un placebo, alors que c'était un médicament supposément efficace.

C'est dans la tête que ça se passe

Imaginez que vous êtes debout dans un wagon de métro bondé. Derrière vous, des jeunes s'excitent. Vous les entendez parler fort. Soudain, on vous pousse dans le dos. Vos joues deviennent rouges et la colère monte en vous. Vous vous tournez et êtes sur le point de sermonner ces garçons écervelés quand vous apercevez une vieille dame qui s'est écroulée juste à vos pieds. Qu'arrive-t-il alors? Votre pression sanguine chute et votre colère se transforme en compassion. Vous plaignez cette malheureuse dame et l'aidez à se relever.

Comme on le voit, nos émotions et les comportements qui en découlent peuvent être déconnectés de ce qui se passe réellement à un moment donné. Parfois, ils n'ont rien à voir avec ce qui se passe. La façon dont chacun perçoit et décode une situation (en d'autres mots, le type de lunettes qu'il porte) exerce une grande influence sur sa réalité.

Cet exemple de la poussée dans le wagon répond également à une question qu'on s'est longtemps posée. Qu'est-ce qui vient avant? Nos pensées, nos émotions ou nos réactions physiques? L'œuf ou la poule? Bien que les trois soient liées les unes aux autres et surviennent parfois presque en même temps, dans bien des cas, nos pensées déterminent les réactions qui s'ensuivent. Parce que l'on pense que des jeunes nous ont bousculé, nous sommes en colère et nous nous apprêtons à sortir de nos gonds. Cette séquence, selon laquelle ce qu'on *pense* précède ce qu'on *ressent*, puis ce qu'on *fait,* est à la base du mystérieux phénomène de l'hypnose.

Connaissez-vous Mesmer? Le vrai Franz Anton Mesmer? Il s'est fait connaître au tournant du XIXe siècle, particulièrement par ses spectacles, dans lesquels il parvenait à provoquer des crises d'hystérie chez des femmes qui perdaient tout contrôle d'elles-mêmes. Cet Allemand était fasciné par l'effet de la suggestion sur notre organisme. Ses guérisons, bien que controversées, démontrèrent que la pensée peut provoquer des troubles physiques et mentaux, autant qu'elle peut les dissiper, en un claquement de doigts.

Mesmer a eu bien des détracteurs, mais son idée que la pensée joue un rôle dans la maladie a marqué l'histoire de la médecine. Après lui, le chirurgien écossais James Braid a montré qu'on pouvait provoquer des changements biologiques par la pensée et utiliser la suggestion pour soigner les gens. À son tour, le célèbre neurologue français Jean Martin Charcot, professeur de Freud, a propagé l'idée que nos tourments créent des dérèglements physiques. Dès lors, l'impuissance d'un homme pouvait s'expliquer par un choc émotif qu'il avait subi tout jeune. Une femme paralysée à la suite d'une agression pouvait être traitée en dénouant la source de son traumatisme.

L'univers des maladies psychosomatiques venait de naître ; la suggestion allait pouvoir être utilisée au service du rétablissement des malades. On découvrait que si le mental engendrait des symptômes, il avait le pouvoir de les éliminer. Des expériences cliniques démontrent qu'il est possible de déclencher une allergie temporaire chez une personne qui n'en souffre pas, en lui suggérant cette intolérance par l'hypnose. On lui donne à entendre qu'elle est allergique au jus d'orange, puis on lui en fait ingurgiter. Une fois la boisson avalée, des rougeurs apparaissent sur sa peau. Si on lui signifie que son allergie a disparu, sa peau redevient immaculée.

Des personnes en transe sont capables de provoquer certaines réactions dans leur corps. Quand l'hypnotiseur leur dit qu'il fait un froid de canard, elles ont la chair de poule ; quand il leur fait croire qu'elles marchent dans un désert torride, elles transpirent. Sans avoir le talent de l'hypnotiseur, vous avez le pouvoir de faire ressentir le chaud au lieu du froid à une personne qui a les yeux bandés. Vous effleurez sa peau avec de la glace, alors que vous prétendez que c'est un objet brûlant, celle-ci éprouvera une sensation de brûlure. Il est également possible d'augmenter la vitesse des battements de votre cœur ou de la ralentir en imaginant des scènes horribles ou paisibles.

La chambre à débarras

À l'occasion, quand ça va très mal, on peut être envahi par des idées déprimantes ou angoissantes. Celles-ci créent une tension nocive qui, en outre, nous empêche d'avoir accès à toutes nos ressources pour surmonter les difficultés. À ces idées s'ajoutent parfois d'autres pensées de toutes sortes qui se bousculent dans notre tête. La course du magasinage des fêtes, la maison qui est en désordre, les tâches qui s'accumulent au travail, le machin-truc qui doit être réparé, le coup de main que l'on a promis à un ami, un proche qui nous appelle à son chevet... Comme une mouche qui s'affole, on vole d'une chose à l'autre rapidement pour parvenir à tout faire, on risque de perdre les pédales et d'être malade soi-même avant de prendre soin de qui ou de quoi que ce soit!

Calmons-nous! Pour reprendre possession de nos moyens, pour éviter le surmenage, nous devons considérer nos préoccupations une à la fois. Nous ne devons pas nous encombrer de trop de pensées dans un *seul* et *même* cerveau.

Est-ce que vous avez, dans votre maison, une pièce dans laquelle vous mettez ce qui traîne? Où vous fermez la porte et le tour est joué? Imaginons que notre cerveau possède une *chambre à débarras*. Nous y jetons nos soucis, le stress lié au surplus de travail, nos sentiments négatifs à l'égard des autres et de nous-mêmes... tout. Puis, nous fermons la porte.

La chambre à débarras est une image proposée par le neuropsychologue américain Rick Hanson. Elle sert de pièce fourre-tout dans laquelle on range les pensées encombrantes qui, pour un moment, ne sont pas urgentes. Notre esprit devient libre, clair et paisible. Se doter d'une chambre ou d'un tiroir à débarras, selon l'image qui colle le mieux à notre réalité, n'a rien à voir avec de la procrastination, de la paresse mentale ou de l'indifférence. Au contraire, c'est agir avec discernement afin de prioriser les choses essentielles. Nous fermons la porte du débarras et certaines de nos préoccupations cessent de nous tarabuster avec autant d'insistance. Nous l'ouvrons quand nous sommes prêts à nous en occuper.

La chambre à débarras permet de faire le ménage dans le tumulte qui se fait entendre dans notre esprit.

Une chose, cependant. Cette image peut libérer notre esprit pour un moment, mais une chambre à débarras qui déborde crée du désordre dans notre tête, mais aussi dans notre vie. Ainsi, si nous ne nous occupons jamais de nos tracas, ils reviendront en force. Notre existence aura l'air d'un vrai fourbi; la pièce fourre-tout sera pleine à craquer et il faudra beaucoup de temps pour nous y retrouver. Qui sait, peut-être faudra-t-il engager un spécialiste en entretien pour nous aider!

Reprendre le contrôle de son cerveau

Nous avons un certain contrôle sur ce qui nous rend malades et malheureux, mais il nous arrive de le perdre. Nous nous sentons parfois hautement concernés par chaque chose qui nous tombe dessus. Celles-ci nous paraissent si cruciales que nous avons l'impression qu'elles doivent être considérées, les unes comme les autres, sur-le-champ.

Des gens qui ont connu la maladie décident d'être sincèrement *engagés* dans le monde, mais choisissent de ne pas être *préoccupés* par celui-ci. Ils ne nient pas la réalité, mais mettent de l'ordre dans leurs problèmes, en embrassant ceux qui sont vraiment importants et qui doivent être envisagés séance tenante, et en mettant de côté ceux qui peuvent attendre un peu.

Comment réussissent-ils? En exploitant chaque région de leur cerveau. Il faut savoir qu'une région de notre cerveau, la plus primitive de toutes, nous pousse à réagir impulsivement. C'est la région limbique, dont la fonction est de préserver la survie de l'espèce en répondant automatiquement aux dangers. Nos ancêtres s'en servaient pour se défendre contre les prédateurs. Nous avons conservé cette aptitude, qui se manifeste par exemple lorsque notre voiture dérape sur la glace noire et que nous tournons le volant prestement pour qu'elle revienne dans le droit chemin. Dans nos élans de panique, cet instinct nous pousse à chercher une solution à tous nos problèmes dès l'instant où ils se pointent.

Mais notre cerveau a plus d'un tour dans son sac. Une autre région appelée le cortex préfrontal contrôle nos émotions, au gré de notre volonté. C'est à cet endroit, au-dessus de nos paupières jusqu'au sommet de notre crâne, que loge notre raison, c'est-à-dire notre capacité à utiliser notre *gros bon sens*. Rick Hanson explique que grâce à notre lobe préfrontal, nous pouvons refréner notre tendance à donner une réponse immédiate (qui est associée à la région limbique) à toutes les demandes et exigences, et y répondre au moment où nous nous sentons mieux disposés.

Notre cerveau est bien construit et devrait nous aider à alléger notre esprit. Alors, comment se fait-il que nous n'y arrivions pas toujours, qu'il soit difficile par exemple de faire le vide à l'intérieur de soi? Parce que notre cerveau a besoin de stimulations. Ce besoin est tellement ancré en nous que si nous diminuons le nombre de stimulations auxquelles nous sommes exposés, il en inventera! En d'autres mots, notre cerveau doit être occupé à quelque chose, sinon il s'énerve!

Il est vain de chercher à arrêter de penser. Une astuce consiste donc à remplacer les pensées qui nous tourmentent par d'autres, qui nous font du bien. Les distractions ont cette utilité. Quand nous nous centrons sur un passe-temps, un souvenir réconfortant ou une image plaisante, notre esprit se calme.

Rick Hanson explique ce phénomène en précisant que, physiologiquement, les distractions libèrent de la dopamine. Cette hormone a l'effet de maintenir fermée la barrière qui empêche d'autres pensées de traverser notre cerveau. Si notre attention décroît, le taux de dopamine aussi, et la barrière s'ouvre en laissant s'infiltrer de nouvelles pensées. Voilà pourquoi le mieux que vous puissiez faire pour éviter les ruminations est de vous divertir un peu l'esprit. Le bien-être qui en découle est bon pour votre santé.

Qui décide de nos pensées ?

Si nos pensées étaient réelles, qu'elles avaient un « poids », certains seraient surpris du résultat sur la balance ! Imaginez que votre cerveau fasse de l'embonpoint, parce que vous avez collectionné un fouillis de contrariétés pêle-mêle dans la chambre à débarras ! Non, vos pensées ne sont pas réelles. Néanmoins, leur influence est bel et bien tangible.

Notre esprit peut nous sembler lourd de préoccupations. On se laisse déranger par nos pensées ou on les craint, et ce sont elles, plutôt que nous, qui finissent par diriger notre vie. Le pire, quand nous confondons nos pensées avec la réalité, c'est que la maladie peut survenir.

Nous oublions que les pensées n'existent *que* dans notre esprit. Elles sont comparables à des nuages parfois très sombres et épais qui pénètrent de part en part notre matière grise, mais qui sont insaisissables. Si nous les observons de près et que nous tentons de les saisir, explique le moine français et chercheur en génétique Matthieu Ricard, nous nous rendons compte qu'elles n'ont aucune substance. Nos pensées sont fabriquées de toutes pièces par notre esprit. Mais c'est nous qui contrôlons notre esprit !

Une histoire qui circule sur Internet, qui se déroulait au siècle dernier, illustre de façon très évocatrice que nous pouvons faire à peu près ce que nous voulons avec notre esprit. Un professeur de physique estimait qu'un de ses élèves avait échoué à un examen, alors que l'élève réclamait tous ses points. Le professeur a donné un coup de fil à un collègue, expert dans ce genre de question. Il lui a demandé d'agir comme un arbitre impartial pour résoudre le dilemme.

On a expliqué à l'expert qu'à la question «Montrez comment il est possible de déterminer la hauteur d'un immeuble à l'aide d'un baromètre», l'élève avait répondu: «En apportant le baromètre sur le toit de l'immeuble, en lui attachant une corde et en le faisant glisser jusqu'au sol, en le remontant ensuite et en calculant la longueur de la corde. La longueur de la corde donne la hauteur de l'immeuble.» L'expert a jugé que l'élève avait raison puisqu'il avait répondu correctement à la question. D'un autre côté, il ne pouvait pas lui donner ses points, car il n'avait pas montré ses connaissances en *physique*. Il lui a donné une autre chance en l'avertissant qu'il devait fournir une réponse en physique. Après un moment, comme l'élève n'avait encore rien écrit, l'expert lui a demandé s'il abandonnait, mais l'élève a répondu qu'il y avait beaucoup de réponses à ce problème et qu'il cherchait la meilleure d'entre elles. L'expert s'est excusé de l'avoir interrompu et l'a laissé continuer.

Dans la minute qui a suivi, l'élève s'est hâté de répondre: «On place le baromètre à la hauteur du toit. On le laisse tomber en calculant son temps de chute avec un chronomètre. Ensuite, en utilisant la bonne formule, c'est-à-dire $x = gt^2/2$, on trouve la hauteur de l'immeuble.» Malgré l'excentricité de sa réponse, l'élève méritait ses points, car elle était dans le domaine de la physique. Mais l'expert était curieux de connaître les autres solutions qu'il prétendait avoir pour ce problème. «Bien, a dit l'élève, il y a plusieurs façons de calculer la hauteur d'un immeuble avec un baromètre. Par exemple, on le place dehors lorsqu'il y a du soleil. On mesure la hauteur du baromètre, la longueur de son ombre et la longueur de l'ombre de l'immeuble. Ensuite, par un simple calcul de proportion, on trouve la hauteur de l'immeuble.»

«D'accord, lui a répondu l'expert, et les autres réponses?» À quoi l'élève a répondu qu'il y a une méthode assez simple qu'il allait apprécier: «On monte les étages avec un baromètre et en même temps on marque la longueur du baromètre sur le mur. En comptant le nombre de traits, on a la hauteur de l'immeuble en longueurs de baromètre. C'est une méthode très directe, a-t-il ajouté. Bien sûr, si vous voulez une méthode plus sophistiquée, vous pouvez pendre le baromètre à une corde, le faire balancer comme un pendule et déterminer la valeur de g au niveau de la rue et au niveau du toit (g équivaut au poids d'une masse d'un kilogramme en fonction de son accélération). À partir de la différence de g, a-t-il poursuivi, la hauteur d'un immeuble peut être calculée. De la même façon, on l'attache à une grande corde, on monte sur le toit, on le laisse descendre à peu près au niveau de la rue. On le fait balancer comme un pendule et on calcule la hauteur de l'immeuble à partir de sa période d'oscillation.»

Finalement, l'élève a conclu: «Il y a encore d'autres façons de résoudre ce problème. Probablement que la meilleure est d'aller au sous-sol, de frapper à la porte du concierge et de lui dire: "J'ai pour vous un superbe baromètre si vous me dites quelle est la hauteur de l'immeuble."» L'expert a ensuite demandé à l'élève s'il connaissait la réponse qui était attendue. Il a admis que oui, mais qu'il en avait marre de l'université et des professeurs qui essayaient de lui apprendre comment il devait penser.

On dit que cette anecdote vient du physicien et chimiste britannique Ernest Rutherford, Prix Nobel de chimie, au sujet d'un élève nommé Niels Bohr, qui reçut pour sa part le prix Nobel de physique! Est-ce une légende urbaine qui fait l'éloge de l'inventivité du jeune Niels? Peut-être, mais c'est une belle histoire qui illustre qu'on peut raisonner «comme les autres» et se soumettre aux règles attendues, c'est-à-dire donner de bonnes réponses à un cours de physique. Mais de notre esprit, on peut en tirer bien plus, cela dépend entièrement de nous. Nous avons une totale liberté de penser. Tout ce qui se passe dans notre tête nous appartient et reste entre nos deux oreilles.

Nous décidons de la façon dont nous utilisons notre cerveau!

La santé, c'est aussi dans la tête !

Côté santé, vos pensées peuvent devenir des alliées redoutables, au service de votre rétablissement. Ainsi, l'oncologue américain Carl Simonton suggérait aux malades d'imaginer que leurs cellules étaient une armée ayant la faculté de combattre leur affection. Vous pouvez visualiser des couleurs apaisantes — le bleu, le violet, par exemple —, ou une lumière douce qui circule dans vos veines et vos organes, et les libère des toxines. Comme l'écrit le neuropsychologue Rick Hanson, lorsque vous laissez vos images intérieures pénétrer profondément votre corps, comme de «l'eau dans une éponge», celles-ci vous contaminent littéralement. Hanson nous invite à ne pas rester à contempler ces images comme « un banquet de bonne nourriture », mais à les savourer aussi souvent, aussi longtemps et aussi intensément que possible.

L'écrivain français Christian Bobin, pour sa part, avait une expression qui se prête bien à l'influence du cerveau sur l'ensemble de notre vie. Cette influence est tellement cruciale que nous pouvons presque faire en sorte, disait-il, qu'à chaque situation «nous entrons au paradis ou nous en sortons». Jusqu'à un certain point, nous inventons notre *paradis* en modifiant notre façon d'appréhender la réalité. Nous dirigeons notre esprit, qui fonctionne comme un projecteur, vers des pensées et des images thérapeutiques qui nous soignent.

Il ne s'agit pas de *voir la vie en rose*, toujours et en tout temps ; cela ne mène nulle part. Cependant, chacun a le loisir de s'offrir des distractions qui lui font oublier temporairement ses difficultés, le temps de regagner des forces pour mieux y faire face. La chambre à débarras permet d'agir avec discernement en désencombrant notre esprit des préoccupations qui s'y enchevêtrent. Puis, on décide à quel moment nous y prêterons attention. Entre-temps, on se concentre sur ce qui nous fait du bien.

Vous avez le pouvoir de prendre un « centimètre de recul », selon l'expression du psychiatre français Christophe André, en devenant un témoin de ce qui se déroule dans votre tête. Puisqu'il est impossible de stopper totalement le flot de vos pensées, vous pouvez apprendre à les canaliser.

Parmi les pensées qui rendent malades, la peur est probablement la plus insidieuse. Avez-vous peur de la maladie, de la souffrance et de la mort ? Cette peur de nature instinctive, enfouie dans notre cerveau limbique, est difficile à maîtriser, car elle constitue un réflexe primaire. Pour réduire son effet nocif, je vous invite à visualiser cette peur comme une matière qui vous pénètre, mais qui n'a pas de consistance. Vous avez le pouvoir de vous en libérer en imaginant qu'elle s'exhale à chaque expiration. À l'inspiration, en revanche, imaginez la confiance qui remplit votre corps, comme si c'était une onde douce, vivante et sereine.

Une petite ruse bienfaisante

Avez-vous retenu la petite ruse des parents qui font des plaisanteries pour amuser leurs tout-petits chagrinés, ou celle des gens malades qui s'absorbent dans une activité bienfaisante ? Voici une façon de les mettre en pratique dans votre propre vie.

Commencez par faire la liste des activités que vous aimez. Quels sont vos passe-temps préférés : aller au cinéma, faire de la cuisine, du vélo, marcher en forêt ? Bien sûr, il ne s'agit pas d'activités qui entraînent à la longue un effet indésirable ; pas d'excès d'alcool ou de malbouffe, ni de folie coûteuse ou de projets casse-cou ! Plutôt, quelles sont les occupations qui vous apportent un bien-être spontané, mais durable ? En manque d'idées ? Vous pouvez vous inspirer de gens que vous connaissez et qui réussissent à se gâter sainement. Qu'est-ce qui serait à *votre* portée et qui vous redonnerait de l'énergie ? Le jardinage, le bricolage, de sport, des activités sociales ou culturelles ?

Une fois que vous avez quelques divertissements en tête, choisissez l'un d'eux et assurez-vous de vous y adonner une fois au cours de la semaine. Accordez-vous un répit bien mérité qui vous permettra de retrouver l'aplomb pour faire face, en temps opportun, aux situations difficiles.

Une oasis dans la tête

Vous éprouvez de la tristesse, de l'inquiétude, de la frustration ou de la colère ? Créez une oasis dans votre tête en évoquant un événement heureux, un lieu chéri ou un être aimé. Laissez cette pensée et les émotions positives qui l'accompagnent s'infiltrer dans votre esprit. Puis, voyez comment elle réussit à se faire une place de plus en plus grande et comment elle atténue temporairement les sentiments pénibles.

Félicitez-vous pour chaque minute où vous avez réussi à mettre de côté vos tourments. Ne soyez pas sévère à votre égard, chaque effort pour libérer votre esprit est louable, c'est un pas vers un meilleur équilibre. À d'autres occasions, voyez comment les pensées réconfortantes vous apportent un soulagement des douleurs physiques ou vous libèrent des tensions.

La chambre à débarras

Vous pouvez vous offrir des périodes de tranquillité d'esprit en rangeant vos problèmes dans le placard ou en cessant de réagir viscéralement aux situations qui vous sont extérieures. Il semble que plus nous nous exerçons à ne pas réagir impulsivement, plus cela devient naturel. Vous pouvez prendre un moment dans la journée, une seule minute suffit, pour désencombrer votre esprit. Imaginez que vous ouvrez la porte de la chambre à débarras et que vous y rangez vos préoccupations. Puis, refermez la porte! Au fur et à mesure de votre pratique, exercez-vous à augmenter la durée de la période où vous réussissez à garder la porte close.

Pense-bête pour les rusés

Devenons le patron de notre cerveau !

Apprenons à nous protéger d'une réalité
qui nous rend malades.

Soyons l'exception qui défie la règle.

Mettons de côté momentanément nos problèmes
pour les affronter en temps opportun.

Trouvons des passe-temps captivants comme
antidote à nos souffrances.

Personne n'échappe au cercle vicieux des pensées
négatives, mais donnons-nous un petit répit.

Servons-nous de notre cerveau pour provoquer
un effet positif sur notre corps.

Créons une chambre à débarras mentale
pour faire le ménage
dans le tumulte qui habite notre esprit.

Exploitons l'incroyable capacité de notre cerveau
pour être en meilleure santé et vivre mieux !

CHAPITRE 5
Les bons vivants

Il y a des gens qui sont aimés de tous. À l'aide de quelques boutades, ils égayent l'atmosphère d'une soirée ennuyeuse. Certains ont le talent de se tirer d'affaire, de régler leurs conflits avec les autres ou de vaincre leur timidité grâce à leur sens de l'humour. Connaissez-vous des *bons vivants*? Si oui, profitez de leur présence! Ils font tellement de bien! Ils ont le taux de réussite le plus élevé en mariage. Ce sont les professeurs qui ont la cote d'amour de leurs étudiants. À leur avantage, ils sont rarement malades et vivent longtemps. Pour cette raison, on peut penser que le proverbe «Rira bien qui rira le dernier» leur va très bien!

Le médecin français d'origine juive Albert Schweitzer était un bon vivant. Après avoir vécu la guerre dans des camps d'extermination, il s'est réfugié au Gabon. À ses débuts, il recevait ses patients dans ce qui lui faisait office de cabinet: un poulailler! Puis, il a amassé des fonds grâce à son talent de pianiste et fondé un hôpital. Premier médecin sans frontières, il a obtenu le prix Nobel de la paix 1952. En plus d'être un humain hors du commun, il était, paraît-il, d'une gentillesse remarquable. C'est à lui qu'on doit la citation célèbre: «Le bonheur est la seule chose qui se multiplie, quand on la partage.» Pour Schweitzer, l'humour était une sorte de thérapie. Il disait que la maladie avait tendance à le quitter rapidement parce qu'elle trouvait son corps bien peu accueillant. À ne pas en douter, celle-ci le laissa tranquille un bon bout de temps, car il vécut jusqu'à 90 ans!

Norman Cousins s'est inspiré de la vie d'Albert Schweitzer pour faire connaître le principe selon lequel « un cœur joyeux attire la santé ». Considéré lui-même comme un pionnier des recherches sur l'effet du rire sur la santé, Cousins a avancé l'hypothèse que si les attitudes négatives réduisent l'immunité, à cause du stress qu'elles engendrent, la joie, elle peut bien apporter la santé.

Un cœur joyeux attire la santé.

Il consacra sa carrière à prouver que les gens malades peuvent tirer profit du rire pour se refaire une santé. Les mouvements saccadés et libérateurs engendrés par l'expression de la gaieté sont un remède pour contrer les petits maux jusqu'aux symptômes plus sérieux. Comme je le démontre dans ce chapitre, certaines personnes ont retenu la leçon. Ces dernières se bidonnent un peu, beaucoup, follement. Même aux derniers moments, elles se disent qu'il vaut mieux mourir bien vivant que vivre déjà mort!

L'humour est nocif pour les maladies!

Que reste-t-il à une personne malade qui lui donne le sentiment d'être en vie lorsqu'elle a peu de force et qu'elle peine à se mouvoir? Il lui reste quelques moments de rigolade. Si elle a le génie de les saisir au vol, en retour, ces moments lui donneront un peu de courage pour traverser la maladie. Mais, vous dites-vous: quand quelqu'un est souffrant, comment peut-il avoir le goût de s'amuser? Normalement, il aurait plutôt envie de gémir et de se plaindre. Pas toujours. Certains malades préfèrent plaisanter, peu importe leur condition.

Mon père avait cette aptitude. Extrêmement affaibli par la maladie, il trouvait quand même le tour de se moquer de tout, surtout de lui-même. Comme il avait de grandes difficultés d'élocution, il baragouinait quelques mots inaudibles, puis nous regardait, et riait de bon cœur à la vue de notre air sidéré. Son sens de l'humour indéfectible nous a aidés à ne pas trop angoisser durant son interminable maladie. J'imagine que pour lui, c'était une façon de vivre sa fin comme il avait vécu sa vie, en faisant le bouffon!

J'aime croire que mon père a adouci sa mort grâce à son étonnante bonne humeur. Comme lui, on a de bonnes raisons de ne jamais perdre notre aptitude à rire de bon cœur. David Servan-Schreiber s'est dit un jour : « Si je dois arrêter de rire au motif que j'ai un cancer, je suis déjà mort. » Et si on n'a pas l'audace de se fendre la pipe parce qu'on est indisposé ou parce qu'on souffre de voir nos proches en arracher, qu'on se force un peu! Oui, qu'on se force! Le psychanalyste québécois Guy Corneau insiste pour dire que « s'il n'y a rien de souriant dans notre vie, surtout s'il n'y a rien de souriant dans notre vie, sourions ».

Sourire — et rire c'est encore mieux — nous contamine, au sens propre du terme. Le rire a l'effet d'un *virus curatif*, un parasite qui sème la guérison dans notre organisme. Adressez un sourire aux gens ou lancez-leur un petit mot pour badiner, puis observez le résultat. Sur les autres et sur vous. Grâce au conditionnement psychologique que le geste suscite, il y a des chances que vous déclenchiez votre propre bonne humeur. Ainsi, vous ne restez pas passif à attendre que quelqu'un ou quelque chose vous rende joyeux, *vous* vous rendez joyeux. En plus, vous infectez les autres!

Un sourire est aussi contagieux qu'un microbe.

Un sourire authentique s'exprime en haussant les commissures des lèvres tout en plissant les yeux. On l'appelle le « sourire Duchesne », du neurologiste qui réalisa une série d'expériences sur l'expression faciale de l'émotion. Ce sourire tout naturel a un impact sur notre biochimie. Il active les régions de notre cerveau qui produisent des endorphines, les «hormones du bonheur». Celles-ci, en plus de procurer une sensation agréable, contribuent, comme nous le verrons, au bon fonctionnement de notre système immunitaire.

Le même effet est observé si vous placez un crayon entre vos dents, de manière à simuler un rictus. Voulez-vous essayer? Même forcé, un sourire provoque une activité dans les régions du cerveau associées au bien-être. Le rire est un excellent antidote à la morosité, tout comme à la maladie. Voyons les raisons pour lesquelles les bons vivants sont plus en santé.

Une cure de rire

Votre médecin ne vous a pas proposé une cure de rire pour soigner vos maux? Il aurait dû. Comme le disait l'écrivain humoriste américain Josh Billings: «S'il n'y a pas beaucoup d'humour dans la médecine, il y a quand même beaucoup de médecine dans l'humour.» Ses propriétés sont nombreuses. Et, il n'a aucun effet secondaire, sauf quelques crampes au ventre et l'envie de faire pipi, et ce, seulement si vous vous soumettez à des plaisanteries tordantes. Alors, pourquoi s'en passer?

Depuis toujours, les connaisseurs parlent des mérites du rire. Même l'austère Sigmund Freud prétendait que l'humour était un excellent moyen de réduire la tension nerveuse, donc qu'il était curatif. Norman Cousins, pour sa part, comparait le rire à un «jogging intérieur» qui mobilise les muscles faciaux et s'accompagne de contractions du diaphragme et des abdominaux. Quel avantage, puisque nous n'avons pas à fournir de grands efforts pour retrouver la forme! En effet, si nous remplaçons trente minutes d'exercices par jour, comme le recommandent les spécialistes, par autant de moments hilarants répartis durant la journée, il semble que nous gagnions le double de bienfaits. Selon le neurologue français Henri Rubinstein, une séance de rire apporte autant de vitalité et de bien-être que la course à pied, et ce, sans une goutte de transpiration! Les deux, l'exercice *et* le rire sont sans doute la meilleure recette pour une vie saine!

Mais ses effets ne s'arrêtent pas là. Henri Rubinstein explique que le rire effectue un massage des organes du ventre. Grâce à ce mouvement interne et à son effet sur la vésicule biliaire, il est... un laxatif naturel. À ce sujet, le philosophe allemand Emmanuel Kant ne disait-il pas qu'un humain possédant le don du rire n'est pas tourmenté par la constipation? Le rire serait *déconstipant*, dans les deux sens du terme!

Le rire est un exercice physique sans transpiration!

D'autres bienfaits? Comme le rire entraîne un travail respiratoire intense, le sang s'oxygène mieux. Les globules blancs sont activés, ce qui favorise les défenses immunitaires. Mieux encore, précise Rubinstein, il diminue le taux de cholestérol, puisque 15 % de celui-ci s'élimine par la respiration. Les gens joyeux auraient donc une moins grande quantité de cette substance grasse qui bloque leurs artères. En plus d'être drôlement libérateur, le fait de rigoler contribue au relâchement physique et psychologique! Ces effets sont susceptibles de calmer une crise d'asthme, un hoquet ou de délier une contraction musculaire ou nerveuse.

À ce propos, il me vient en tête une anecdote cocasse vécue par le psychologue québécois Yvon Saint-Arnaud. Un jour, alors qu'il se rendait dans une ville pour y donner une conférence — plutôt nerveux, sachant que le public s'y connaissait très bien sur le sujet qu'il allait aborder —, il était tellement tendu qu'il s'est retrouvé avec un torticolis. La position anormale de sa tête et de son cou lui donnait une drôle d'allure. Quand il est entré dans le bâtiment, la réceptionniste l'a regardé d'un air suspect. Elle lui a demandé de patienter dans la salle d'attente. Les minutes s'écoulaient… La responsable de l'événement, qui s'inquiétait de ne pas voir arriver le conférencier, a demandé à la secrétaire si elle avait eu de ses nouvelles. Elle a hoché la tête et indiqué qu'il n'y avait que cet homme bizarre dans la salle d'attente. Quand la responsable l'a vu, attendant avec embarras, elle s'est excusée. Puis, tous les trois ont été pris d'un grand fou rire en réalisant que la réceptionniste l'avait traité comme un inconnu. Il n'avait pas le panache du grand présentateur qu'elle s'imaginait. M. Saint-Arnaud, trop timide pour protester, avait patienté docilement. Il s'est rendu sur la scène en continuant de pouffer de rire et, une fois arrivé, a réalisé que son torticolis avait disparu !

Une dose de rire par jour éloigne le docteur pour toujours !

Vous connaissez le vieux dicton « Une pomme par jour éloigne le docteur pour toujours » ? Une dose quotidienne de rire aurait l'effet des pommes, en entretenant notre vitalité. En plus de faire cesser les torticolis et d'éliminer plusieurs problèmes incommodants, comme on l'a vu, le rire favorise aussi la fabrication de sérotonine, une substance qui permet de lutter contre la dépression.

Le rire a un effet comparable à l'aspirine. Par son action dans le cerveau, il active la sécrétion d'endorphines, un analgésique naturel. D'après Norman Cousins, dix minutes de visionnement d'un film comique donnent lieu à deux heures de meilleure tolérance à la douleur. Dans les hôpitaux pour enfants où l'on pratique l'effet « clown », la consommation d'antalgiques, les médicaments destinés à réduire la douleur, diminue de 30 à 40 %. Les bénéfices ne s'arrêtent pas là, car on prétend que les endorphines ainsi sécrétées rendraient plus intelligent ! Selon l'endocrinologue américaine Miriam Diamond, les endorphines augmenteraient le nombre de neurones et allongeraient leur durée de vie, préservant ainsi une mémoire intacte et un esprit plus vif.

S'il nous arrive de « pleurer de rire » devant une scène comique, c'est que le rire, en plus de soulager la douleur, fait aussi monter la pression sanguine, ce qui peut stimuler les glandes lacrymales. Par ce branle-bas physiologique, les larmes s'évacuent et, avec elles, les tensions. De cette manière, le rire agit comme un anxiolytique, sans les effets secondaires, et aide ainsi à réduire le stress.

Enfin, si vous êtes du type énergique, pas du tout zen, il paraît qu'une minute de rigolade vaut trois quarts d'heure de relaxation. Le psychosomaticien français Sylvain Mimoun explique que l'hilarité nous donne une meilleure endurance à la douleur que la pratique des exercices d'un CD de détente. Ne trouvez-vous pas que tous ces effets mis ensemble incitent notamment à prendre la vie avec plus de légèreté ?

Docteurs au nez rouge

Une circonstance cocasse et inattendue qui provoque un fou rire peut engendrer une détente instantanée. On se sert aussi de l'humour pour soigner les maux, en toute conscience. Avez-vous entendu parler de Patch Adams ? Ce médecin américain et clown professionnel est le précurseur d'un mouvement qui prône le rire à l'hôpital. Grâce à lui, des docteurs au nez rouge déambulent dans les chambres et les corridors d'hôpitaux, notamment dans les services pédiatriques. C'est le cas de centres hospitaliers aux États-Unis, en France et au Canada, qui comptent dans leurs rangs des amuseurs thérapeutiques accompagnant les enfants tout en douceur et dans la bonne humeur.

Des initiatives comme celle de Patch Adams ne datent toutefois pas d'hier. Une infirmière retraitée se souvient qu'à l'hôpital Saint-Louis, à Paris, un des grands patrons avait des exigences particulières. Il demandait à son personnel d'être toujours de bonne humeur. Lui-même agrémentait ses visites de bons mots à ses patients et s'efforçait de les dérider. Il avait coutume de dire que « sans joie de vivre, il n'y a pas de guérison ». Il lui arrivait même de chatouiller des enfants, des adultes, voire des grands-mères et des grands-pères !

Un jour, alors qu'il soignait une patiente atteinte d'un lupus — une maladie de la peau qui la défigurait, et qu'il ne parvenait pas à enrayer —, qui avait connu beaucoup de mauvaises fortunes, il se mit à plaisanter avec elle plus qu'à l'habitude, comme s'il voulait prendre soin de son âme autant que de son corps. L'infirmière lui a demandé pourquoi il agissait de la sorte avec cette patiente. Il lui a répondu qu'il voulait la « guérir ». Cette femme au caractère taciturne a fini par se détendre. Chaque jour, elle attendait avec impatience la visite du médecin.

L'infirmière raconte qu'un matin, celui-ci est arrivé avec une chaîne stéréo portable qu'il a installée dans la chambre de la patiente. Il s'est tout bonnement assis sur le lit, a glissé un disque compact dans le lecteur et a mis l'appareil en marche. Des éclats de rire communicatifs ont jailli des haut-parleurs et entraîné l'hilarité de la femme. D'ailleurs, tout le personnel de l'étage s'est rassemblé et a commencé à se marrer joyeusement. À un moment donné, la patiente, n'en pouvant plus de se tenir les côtes, a imploré le médecin d'arrêter. C'était trop ! Mais, ce n'était pas *trop* pour son lupus, car une semaine plus tard, elle avait retrouvé un visage normal, sans croûtes ni pustules ; seules quelques traces roses persistaient. Selon l'infirmière, c'est la cure de rire qui a entraîné son rétablissement.

Dans cette histoire de lupus, le médecin a utilisé une bande audio d'un fou rire contagieux. Plusieurs études scientifiques misent plus souvent sur des films drôles pour montrer l'effet thérapeutique du rire sur les cellules du corps, mais tous les moyens sont bons ! S'abonner à des spectacles humoristiques ou recevoir la visite d'un ami qui fait le pitre peut avoir autant d'influence sur l'évolution de nos maladies.

Comment le rire réussit-il à avoir cette influence ? En déliant la tension, il permet au système immunitaire de libérer des anti-corps qui neutralisent les microbes responsables de diverses infections. On a observé la présence d'un plus grand nombre d'anticorps que la normale dans la salive de personnes qui avaient visionné des productions comiques, et une baisse du cortisol dans leur sang, une hormone associée au stress chronique qui inhibe le système immunitaire.

Le rire permet à notre système immunitaire de bien faire son travail.

Norman Cousins avait remarqué qu'un fou rire réduisait l'inflammation de ses propres articulations. Ses recherches l'ont mené aux cellules dites «tueuses», générées entre autres par le rire, qui, comme on l'a vu, ont pour fonction de faire la peau à nos maladies. Pour visualiser leur effet, il est possible d'imaginer ces micro-organismes telles des araignées venimeuses qui repèrent les cellules anormales, les entourent et leur injectent un poison qui fait éclater leur membrane et la détruit. Ensuite, d'autres micro-organismes nettoient les débris et soumettent des indices aux cellules tueuses, qui peuvent détecter rapidement de nouvelles anomalies. C'est ainsi qu'on éloigne la maladie, tout en se dilatant la rate !

Ne prenez pas trop au sérieux les choses qui ne le méritent pas

Si vous êtes malade et malheureux ou que vous travaillez auprès de gens souffrants, j'aimerais vous dire une chose. Bien sûr, c'est pénible, mais ce n'est pas parce qu'on a des problèmes que l'on doit se priver de joie, en tout lieu et en tout temps. Il faut s'abstenir d'ajouter le poids du *catastrophisme* à notre malheur ou à celui des autres. En portant un jugement sévère sur notre état ou celui des autres et en supposant que tout va très mal, on accroît le malaise et réduit l'espoir qu'il est possible de dépasser les épreuves. Tandis que plaisanter un peu, c'est faire un clin d'œil à la santé et au bonheur! En fait, tout est une question de dosage. Quand on donne beaucoup d'importance aux circonstances qui nous rendent misérables, eh bien, on devient misérables! On a déjà un paquet de préoccupations, pourquoi en ajouter en censurant même un sourire discret?

Les bons vivants s'attardent à leur bonheur, pas à leurs tragédies.

D'ailleurs, mieux vaut tenter de ne pas prendre *toutes* les choses qui vont mal *trop* au sérieux, et éviter ainsi de s'apitoyer sur son sort. Même face aux pires situations, chacun possède des ressources; ce sont elles que nous devons prendre *très* au sérieux. On doit considérer comme de la plus haute importance les petits bonheurs qui continuent d'exister dans notre quotidien, les talents que nous possédons, les expériences positives marquantes, les gens qui nous font du bien.

C'est à l'écrivain français Bernard de Fontenelle que l'on doit la boutade: «Ne prenez pas la vie au sérieux, de toute façon, vous n'en sortirez pas vivant», qui résumait dramatiquement sa propre existence. Après avoir raté sa carrière d'avocat, puis avoir mené tant bien que mal celle de dramaturge et d'écrivain, il semble qu'il ait surtout bien réussi sa mort! À l'âge de 100 ans, il était en mesure de démontrer que, lorsqu'on est immunisé contre la gravité de son existence, on résiste plus longtemps!

Les choses qui ne méritent pas d'être prises trop au sérieux sont certainement celles qui nous rendent malheureux. L'auteur mexicain don Miguel Ruiz, dans l'un de ses quatre accords toltèques, recommandait de ne réagir à rien de façon personnelle. Si nous y arrivons, que nous prenons les choses avec un grain de sel, nous ne sommes plus victimes de souffrances inutiles. Si vous êtes capables de faire preuve d'un peu de légèreté, alors, comme le disait à son tour l'écrivain anglais Robert Burton, votre gaieté rendra votre corps plus jeune, plus vif et vous serez mieux disposé à prendre soin de vous et des vôtres.

Avec un peu d'imagination...

Le truc des bons vivants est de garder le cap sur le côté amusant des choses, plutôt que sur des peccadilles démoralisantes. Mais des peccadilles, il y en a! Comment faire quand celles-ci nous harassent? Comment réagir quand de grands malheurs nous tombent dessus? S'inventer un monde imaginaire? Se prendre pour un héros au sang-froid? Cela est bon pour les enfants; les adultes, eux, doivent affronter le monde *tel qu'il est*! Voyez ce que j'ai suggéré à une cliente accablée par une angoisse permanente au travail.

Cette cliente était convaincue qu'une des sources de son angoisse venait du fait qu'elle avait de mauvaises pensées à l'égard de personnes qui l'entouraient. Elle était particulièrement allergique à une collègue qui, comble de malheur, était la conjointe de son patron. De prime abord, nous avons discuté du fait qu'il était légitime d'éprouver de l'antipathie à l'égard des gens, sans pour autant être une personne méchante. D'autre part, nous avons la chance d'avoir un jardin secret; ce qui se passe dans notre tête nous appartient à nous seuls.

Après cette mise au point, je l'ai invitée à tenter une expérience sournoise, mais qui allait l'aider à se libérer de son tourment. Le lendemain, alors qu'elle s'affairerait aux côtés de sa collègue, elle allait se laisser aller à des pensées odieusement ridicules: l'imaginer avec un énorme nez, obèse, parlant russe... Tout était permis, dans la mesure où c'était désopilant. Puis, elle observerait ce qui se passerait.

La semaine suivante, la dame m'a raconté qu'elle avait entrepris l'exercice avec un peu d'hésitation. Mais elle était tellement décidée à diminuer ses contrariétés qu'elle a commencé par de petites inventions pas trop cinglantes. Rassurée, et voyant que sa compagne de travail ne se doutait de rien, elle a poussé l'exercice un peu plus loin. Puis, sa timidité a cédé au malin plaisir qu'elle avait à transformer sa collègue en matrone repoussante et excentrique qui ordonnait qu'on lui livre sa pizza à midi pile ; ou l'imaginant comme un gros bébé gâté qui braille parce que son stylo est tombé par terre. Elle s'amusait tellement qu'à la fin de la journée, aucun symptôme oppressant ne subsistait. Au contraire, elle a quitté le bureau avec une sensation de légèreté toute nouvelle.

Cette cliente a réussi à créer une situation loufoque à partir d'une source d'angoisse. Elle a réalisé que, ma foi, sa collègue était moins détestable quand elle se métamorphosait en *patapouf*. Vue sous cet angle, celle-ci n'avait plus autant d'influence sur sa propre humeur. Pour la première fois, ma cliente sentait qu'elle reprenait le contrôle sur sa vie.

Quelques mois plus tard, elle m'a confié que dorénavant, lorsqu'elle était devant une situation préoccupante, elle s'inventait des images qui la faisaient rire. Elle utilisait son « tordeur de rire », comme elle l'appelait, une machine à fabriquer des pensées tordantes. Parfois, c'est elle-même qui y passait ! Quand elle entretenait des réflexions pernicieuses à son propre égard telles que « je suis incompétente », « je ne suis pas aimable », elle se mettait à exagérer ses travers. En se rendant ridicule, elle réussissait à réduire considérablement son mal de vivre.

On peut prendre toutes sortes de moyens drôles pour découvrir que la vie vaut la peine d'être... amusante !

L'humour est une drogue saine

Avoir le sens de l'humour ne signifie pas devenir insupportable pour les autres en étant toujours de bonne humeur. On peut rire de soi et du monde tout seul dans sa tête. Comme remontant, c'est assez puissant ! On peut ventiler, c'est aussi permis. On le fait avec humour. On s'offre une séance de plaintes, mais la règle est de tourner nos lamentations à la dérision. On s'oblige à dramatiser nos perspectives. On « beurre épais », comme on dit au

Québec ; on les grossit volontairement au point de faire d'une mouche un éléphant. Ce jeu, pratiqué en solo ou avec de la compagnie, permet d'extérioriser les tensions qui parfois nous rendent dingues.

L'humour est une drogue saine. Il ressemble à l'ecstasy, mais sans ses effets nocifs. Il donne une agréable sensation physique et psychologique, en déformant la réalité et en la rendant de cette façon plus tolérable. C'est ce qui advient quand, dans l'anonymat de notre esprit, nous imaginons quelques caricatures amusantes d'une situation détestable ; on risque de se laisser prendre au jeu et ainsi de faire fondre nos angoisses.

N'empêche que cette drogue est profitable sur bien des plans. On évite, entre autres, les nuits blanches à se torturer les méninges au sujet du petit mot de trop qu'on a dit le mois passé, parce qu'on est capable de s'en moquer. Quand on prend les choses avec esprit, tout devient moins compliqué. On arrive même à dire *n'importe quoi à n'importe qui*, parce qu'on le fait avec une touche d'humour. Tout passe mieux, même les reproches au conjoint, les conseils aux ados, les critiques aux collègues et les blâmes qu'on s'adresse à soi-même ! Par ailleurs, certains moments dramatiques font qu'on ne rit plus ! Continuons à découvrir les moyens pour avoir le dessus sur eux.

Des tonnes de drôleries

Vous voulez développer votre art de la bonne humeur ? Faites le plein de drôleries, il y en a des tonnes, et partout. D'abord, il y a les films drôles, que vous pouvez vous procurer dans les magasins. Par ailleurs, Internet est une source inépuisable de clips marrants. Au cinéma près de chez vous, il y a la comédie du mois et, au centre culturel, le spectacle d'un humoriste qui vous fera vous bidonner.

Vous pouvez aussi abuser des bons vivants de votre entourage. Courez les rejoindre ou invitez-les à la maison ! Abonnez-vous à leur présence et profitez de leur *médecine*. Vous-même avez la possibilité de créer de la joie dans votre vie. En manque d'inspiration ? Faites provision de blagues « prêtes à apporter » pour les fêtes de famille ou les réunions amicales, et commencez dès maintenant votre carrière de *stand-up* comique ! Faites l'exercice de vous demander ce qui vous fait rigoler, personnellement. Puis, osez ! Donnez-vous ainsi la permission d'avoir un sourire fendu jusqu'aux oreilles ou de vous esclaffer à gorge déployée, le plus souvent possible et sans raison.

Le « tordeur de rire »

Il est possible de cultiver votre humour, tout comme il est envisageable d'apprendre à vous amuser de ce qui vous fait pâtir, en temps normal, et à vous moquer de vous-même. Un truc pour minimiser les proportions d'une situation difficile est de la tourner en dérision ! Vous pouvez inventer des images loufoques et les mettre en scène, dans le théâtre privé de votre tête. Voici comment faire.

Pensez à une situation contrariante qui provoque des pensées négatives à l'égard des autres ou de vous-même. Puis, osez en exagérer les aspects qui vous rebutent. Imaginez quelque chose de tordant ou grossissez les défauts d'une personne qui vous irrite ou vos propres travers. Maintenant, observez ce qui se passe… Votre esprit est plus léger et vous reprenez du contrôle sur la situation.

Pense-bête pour les bons vivants

Attirons la santé avec un cœur joyeux.

Propageons des sourires aussi contagieux
que des microbes.

Pratiquons le rire comme exercice, sans transpiration !

Renforçons notre système immunitaire grâce au rire.

Ne prenons pas la vie trop au sérieux, de toute façon,
nous n'en sortirons pas vivants !

Attardons-nous à notre bonheur, pas à nos tragédies.

Apprenons à rire de nos bêtises.

Prenons toutes sortes de moyens drôles pour
découvrir que la vie vaut la peine d'être… amusante !

CHAPITRE 6
Les paisibles

Vous connaissez *Jonathan Livingston le goéland*? L'auteur qui l'a créé, Richard Bach, a écrit un autre livre moins connu, mais très inspirant. Dans *Illusions ou Les aventures d'un messie récalcitrant*, il remet en doute notre vision de la réalité. Selon lui, le monde qui nous entoure est fait d'illusions.

En guise de préambule, il raconte l'histoire d'un peuple étrange qui vit dans le fond d'un grand fleuve. Le courant de ce fleuve glisse au-dessus de toutes ces créatures. Celles-ci s'agrippent tant bien que mal aux rochers. S'accrocher est leur mode de vie, et résister au courant, tout ce qu'elles ont appris depuis leur naissance.

Un jour, une créature, lasse de se retenir, décide de faire une chose étonnante. Bien qu'elle ne puisse pas le voir de ses yeux, elle prétend que le courant sait où il se dirige. Elle annonce qu'elle va lâcher le rocher auquel elle se tient depuis tant d'années et se laisser entraîner là où il la mènera. À rester accrochée, dit-elle, je mourrai d'ennui. Les autres créatures éclatent de rire et la traitent d'écervelée: «Si tu lâches, le courant va te jeter violemment contre les rochers et tu vas mourir meurtrie, plus vite que d'ennui.» Mais la créature ne tient pas compte de ces railleries. Elle lâche prise, et aussitôt elle est ballottée par le

courant, puis projetée contre les rochers. Or, comme elle continue de s'abandonner au courant, celui-ci la soulève et la libère
du fond. Elle n'est plus bousculée, ni blessée. Des créatures
vivant en aval, pour lesquelles elle était une étrangère, se
mettent à crier : « Au sauveur ! Une créature comme nous, et
pourtant elle est libre ! » Et celle qui se laisse porter par le
courant leur répond que le fleuve se plaît à délivrer quiconque
ose lâcher prise. « Notre mission, c'est ce voyage, cette aven-
ture ! » clame-t-elle. Mais le peuple du fleuve, n'en croyant pas
un mot, reste rivé aux rochers. Et, il se met à inventer des
légendes à propos d'un messie... récalcitrant !

Est-ce que ce récit vous parle ? Croyez-vous que, malgré son
étrangeté, le peuple qui se tient agrippé aux flancs du rocher
nous ressemble un peu ? Comme ces créatures, ne sommes-nous
pas habités par la peur de ce qui surviendrait si nous lâchions
prise ? Ne nous soumettons-nous pas à une tension permanente
liée à notre peur de l'inconnu, ou sim-
plement parce que nous ne pouvons
tolérer le vide existentiel ? Qu'arriverait-il
si nous nous laissions aller au courant
naturel des choses ? Nous arriverait-il
des choses si graves ? En mourrions-
nous ou aurions-nous accès à une plus
grande liberté ?

*Sommes-nous
prêts à découvrir
le lieu où nous
conduirait
le courant si nous
nous abandonnions
à lui ?*

Avec ce récit du messie récalcitrant,
Richard Bach nous enseigne qu'en
lâchant prise, il est possible de faire l'expérience incroyable de l'harmonie avec ce qui nous entoure et
avec nous-mêmes. Cette expérience est parfois vécue par les gens
qui vont à la rencontre de la mort. Ils se voient forcés de *tout* laisser tomber, même ce qui donnait un sens à leur vie. Mais cette
épreuve plus grande que nature les transforme ; ils deviennent
des êtres *paisibles*.

La rechute de David Servan-Schreiber

David Servan-Schreiber, un jour, a lâché prise. Vous direz qu'il n'a pas eu le choix. Soit. Quand il a su que son cancer en récidive était irréversible, il a réalisé qu'il avait passé sa vie à s'agripper à une mission qui lui tenait à cœur, mais que celle-ci l'avait complètement épuisé. Comme il était condamné, il aurait pu réagir en s'accrochant encore plus à la chose qui apportait un sens à sa vie, comme ces créatures dont l'existence se résume à se tenir aux rochers du torrent. Mais il a réalisé que ce qui pouvait encore sauver sa peau c'était de s'abandonner à la vie. Ce qui suit relate comment il a ainsi connu une paix intérieure comme jamais auparavant.

Au début des années 1990, lorsqu'il a appris qu'il était atteint d'un cancer au cerveau, Servan-Schreiber était conscient que 99 % des personnes n'y survivaient pas au-delà de six ans. Lui était bien décidé à faire partie du 1 %. En plus de la chirurgie, de la chimiothérapie et de la radiothérapie qu'il a subies, il a découvert que son corps avait un dispositif de défense naturel contre le cancer. Ce dispositif fonctionnait mieux avec une bonne alimentation et un style de vie sain, alors il s'est donné un régime strict qui a contribué à son rétablissement.

Quinze ans plus tard, néanmoins, son cancer a récidivé. Cette fois, son médecin était formel, le taux de survie, dans les cas de rechute de ce type de cancer, ne dépassait pas dix-huit mois. Zéro survivant après dix-huit mois, c'est peu, confiait-il. Il n'aurait pas une deuxième chance. Pour celui qui croyait avoir trouvé la recette pour soigner sa tumeur, cet avis eut l'effet d'une «douche froide».

À la veille de ses 50 ans, la nouvelle était dure à avaler. D'autant plus que David était devenu une référence mondiale de la lutte contre le cancer. Alors vous pensez bien qu'il se l'est fait dire! Monsieur anticancer en personne était de nouveau atteint. Maintenant, *qui* allait-on croire? Personne ne pouvait échapper à cette maladie; une fois qu'elle nous avait, elle ne nous lâchait jamais.

Ce n'était pas le cas, bien sûr. L'erreur de David Servan-Schreiber avait été, admettait-il lui-même, de s'imposer un rythme de vie exténuant, bien que passionnant, mais au total excessif. Il ne prenait pas soin de lui, et ce, depuis bien longtemps. Il a reconnu que, dans ses dernières années en tout cas, il n'avait pas été un très bon exemple d'un mode de vie sain, à l'image de ce qu'il enseignait. A *posteriori*, reconnaissait-il, « l'erreur lui sautait aux yeux ». Bien qu'il n'ait pu être une expérience scientifique à lui seul, il croyait qu'on pouvait tirer une leçon de sa mésaventure au sujet de l'importance de ne pas se surmener. L'une des meilleures façons de se protéger contre la maladie consiste à trouver le calme intérieur. Pour sa part, avouait-il, il n'avait pas réussi à le trouver, et il le regrettait. Alors, il a fait la dernière chose qu'il souhaitait faire, et que tout le monde peut un jour expérimenter, de préférence sans cancer : il a lâché prise.

Le calme intérieur protège contre la maladie.

Le lâcher-prise

Une fois le diagnostic reçu, l'épreuve la plus difficile pour David Servan-Schreiber a été de lâcher prise sur ce qui, paradoxalement, le retenait à la vie. Il devait se décharger de la mission qui donnait un sens à sa vie, mais dont les exigences avaient eu raison de lui. Il fallait relâcher toutes les sources de tension, même les plus constructives.

Au fil d'un chemin jonché de grands accomplissements, des gens comme lui méritent les honneurs, mais ils doivent plier l'échine. Leurs passions leur apportent d'immenses satisfactions, mais ils sont à bout de souffle. Et ce n'est qu'au moment où ils sont frappés par la maladie qu'ils reconsidèrent les choses auxquelles ils tiennent *si* fort. Sous l'éclairage de leur finitude, ils se demandent si ces choses sont *vraiment* vitales.

Bernard Giraudeau, l'un des amis de David, était un modèle d'une personne maîtrisant le lâcher-prise. Celui-ci était décédé au moment où David entamait son propre combat contre la rechute du cancer. Dans son livre posthume, Servan-Schreiber écrivait qu'il admirait « la façon dont il [Bernard] avait su abandonner ses habitudes de grand boulimique prêt à tous les excès pour se concentrer finalement sur l'existence qu'il avait choisie ». Son ami possédait « une vraie science des plaisirs », alors que lui, concédait-il, avait tendance à prendre les choses beaucoup trop au sérieux.

Accepter la réalité de notre mort nous amène parfois à nous détacher de ce qui donne un sens à notre vie.

« Bernard, poursuivait-il, avait décidé qu'il était important de se reposer, de prendre des vacances, de savourer le temps qui passe, d'avoir une « bonne » vie. » Ils étaient voisins et ils méditaient parfois au petit matin et faisaient de la natation ensemble. David était persuadé que « pour savourer la vie jusqu'au bout », comme son ami l'avait fait, « il fallait avoir trouvé la paix avec soi-même, et avec la mort ».

D'autres personnes, à l'instar de Bernard, possèdent le talent de se délester sans pitié de tout ce qu'ils jugent secondaire. Si ce talent ne nous est pas donné, nous le découvrons tôt ou tard... ultimement, quand nous réalisons que la vie elle-même peut nous filer entre les doigts. Par ailleurs, quand nous réussissons à lâcher prise, nous devenons *paisibles*, et nous ne sommes plus terrifiés par la mort. « Et ça, écrivait David Servan-Schreiber, c'est tout de même appréciable ! » Lui-même était heureux d'avoir connu « pareille merveille », même brièvement.

Se libérer de ce qu'on aime trop

On peut se départir sans gêne de ce qui nous paraît insignifiant. On jette aux ordures ou l'on donne aux bonnes œuvres des trucs abîmés, démodés ou encombrants. Sur un autre plan, on fait une croix sur des intérêts d'antan ou des projets irréalistes, avec même un certain soulagement. Si je me laissais aller à l'ironie, je dirais que des personnes oublient, non sans quelques remords, les promesses faites, les paroles dites, et passent en un tournemain à autre chose.

Mais il n'y a sans doute pas de défi aussi grand que celui de laisser aller ce qui nous tient à cœur. Surtout quand les circonstances nous y forcent. Si vous aimiez profondément un être cher, et qu'il vous a largué sans ambages, vous savez de quoi je parle. À moins que nous l'ayons initiée nous-mêmes ou que nous le souhaitions secrètement, l'expérience de la séparation, de nous faire mettre à la porte ou de nous faire exclure d'un cercle d'amis est extrêmement blessante.

Les années passent et la souffrance s'atténue. Parfois, on finit par admettre que c'était une bonne chose, mais sûrement *pas* toujours et *pas* en tout temps. D'autre part, quand nous réussissons à dépasser le sentiment d'amertume lié à la perte, alors nous retrouvons notre liberté.

Au moment où les grands malades laissent s'envoler la source de leurs déceptions et de leurs peurs, il se passe quelque chose d'extraordinaire. Ils se sentent libres. Et cette liberté leur donne des ailes. On peut connaître un tel sentiment sans passer par la maladie. D'ailleurs, chacun sait ce que le lâcher-prise signifie et les bienfaits qu'il nous apporte. Le problème, c'est qu'on a tendance à oublier ce que serait notre existence si on s'y abandonnait si on se libérait de nos chaînes.

Le lâcher-prise mène à la liberté.

Généralement, nous tenons à bien des choses et surtout à ce que nous aimons. Et d'une certaine façon, plus nous *aimons* ce que nous *aimons*, plus nous nous y accrochons ! Qu'aimez-vous particulièrement ? Nous aimons nos enfants et nous voulons leur offrir une vie des plus épanouissantes ; nous aimons notre travail et nous désirons qu'il soit parfaitement bien fait ; nous aimons notre maison, nous la voulons jolie et impeccable ; nous aimons nos loisirs et nous voulons nous y adonner le plus souvent possible. Nous n'imaginons pas négliger aucune de ces sources de contentement. Néanmoins, tout ce qui nous passionne finit par prendre beaucoup de place dans notre vie et, au bout du compte, nous risquons de nous surmener. On peut se convaincre qu'une vie *remplie* est synonyme d'une vie *satisfaisante*. Comme de raison, on se retrouve alors avec une existence pleine à ras bord, mais on se sent vidé !

À l'instar de ces créatures qui ne peuvent concevoir leur existence sans s'agripper aux rochers, nous ne savons faire autrement, parfois, que de nous cramponner à ce qui donne un sens à notre vie. Eh bien, nous faisons fausse route, du moins partiellement. En plus, l'équation « vie remplie = vie satisfaisante » est à moitié erronée. Si nous persistons à vouloir *tout* faire *parfaitement* bien, même nos passions peuvent devenir des obligations. Tenir absolument à tout ce que nous chérissons, à nos convictions, à nos possessions, à nos occupations... à la limite, tenir à nos missions et à nos amours, a un prix. Plutôt que de nous apporter de la satisfaction, cette attitude peut nous emprisonner dans un train dont nous aurons du mal à débarquer.

Relâcher les nœuds émotifs

Pouvons-nous lâcher prise de... tout ? Difficile ! Alors, commençons par relâcher ce qui est le plus tangible : les tensions dans notre corps.

Je ne parle pas ici des tensions qui sont causées par une mauvaise posture ou un mouvement répétitif que vous accomplissez au travail ou dans les sports. Je parle de celles qui sont intimement liées aux expériences émotives. Depuis les travaux du psychiatre autrichien Wilhelm Reich, il est connu en effet qu'une rigidité musculaire peut contenir l'histoire et la signification de son origine affective. Cela veut dire que, sans que nous en soyons conscients, nos émotions créent une tension physique.

Maintenant, grâce aux neurosciences, nous savons que les émotions provoquent des réactions perceptibles dans nos muscles, tout comme dans nos cellules. Nous savons également que, si une tension physique se *forme* sous l'influence des émotions, elle se *déforme* quand nous les exprimons. Par moments, nous extériorisons notre peine, notre frustration, ou nous nous esclaffons sans retenue, et nous ressentons un relâchement à tous les niveaux. L'expression de nos émotions a pour effet de délier nos nœuds émotifs.

Les nœuds émotifs se défont quand nous exprimons nos émotions.

On peut se figurer que notre organisme *contient* des émotions. Celles-ci sont emmagasinées tels des souvenirs associés à des événements, mais qui ont été relégués aux oubliettes. Logées dans notre inconscient, nos émotions s'expriment à travers notre corps, notamment par nos crispations, certaines expressions de notre visage ou la rigidité de notre maintien.

À ce sujet, je me souviens d'une cliente qui me consultait pour un problème d'anxiété persistant. À première vue, son corps manifestait ce qu'elle vivait intérieurement. Elle se tenait sur le bord de sa chaise ; elle semblait prête à déguerpir, comme si une menace la guettait en permanence. Elle paraissait aussi troublée. Cela se voyait à la manière dont elle jouait sans arrêt avec la ganse de son sac à main, la tournant et la retournant autour de son index. Par ailleurs, les traits de son visage et le port de son dos avaient quelque chose d'affligeant. On aurait dit qu'elle portait la terre sur ses épaules.

Quand j'ai demandé à cette cliente de me tracer le portrait de son état général, elle m'a parlé d'une tension dans le haut du dos et d'un pincement derrière l'omoplate, ainsi que de migraines. La nuit, son sommeil était court et mouvementé. Au matin, elle se réveillait sans avoir l'impression d'être reposée ; elle se sentait si fatiguée… Soudain, en racontant tout ça, elle a éclaté en sanglots. Telle une rivière qui se décharge après l'embâcle, elle s'est vidée. Tout se précipitait à l'extérieur ; les sanglots, mais aussi des sentiments qui avaient été longtemps retenus en elle et des pensées confuses. De sa voix vacillante, elle m'a confié qu'elle ne se reconnaissait plus. Elle avait été si enjouée, mais à présent, elle dépérissait comme une vieille dame. Elle n'aimait pas sa vie, ni sa carrière, ni son mari…

Après un long moment à libérer ses émotions, à défaire les nœuds, elle s'est redressée. Elle m'a regardée et, avec un sourire presque béat, m'a dit qu'elle se sentait mieux. À vrai dire, cela me paraissait évident !

Une migraine, une infection à la gorge, une contraction dans le cou ou une indigestion peut donc *renfermer* des émotions. À l'instar de cette cliente, si nous jetons un regard à l'intérieur de nous et parlons avec notre cœur, nous pouvons nous apaiser. Mais il arrive que cet apaisement ne dure pas, notamment quand on est emporté par le tourbillon de notre quotidien.

L'art d'être tranquille

Notre cerveau s'use à force de rouler à toute allure sur l'autoroute de nos contrariétés. Lorsque nous dépassons nos limites, nous nous exposons aux maladies psychosomatiques, et particulièrement, au surmenage. La tension persistante met notre corps en état d'alerte ; à la longue, cet état exténue nos cellules protectrices, et la maladie en profite pour se déployer. À l'inverse, quand nous réussissons à trouver la tranquillité d'esprit, notre système immunitaire refait ses forces.

Lorsque nous étions tout petits, nous avions, pour la plupart, une bonne dose d'insouciance, et un accès direct à cette

Maîtriser l'art d'être tranquille renforce notre immunité.

quiétude. Puis, en grandissant, nous sommes devenus des personnes responsables. L'âge adulte a un coût! S'abandonner, se laisser aller, respirer par le nez… appelons ça comme on veut, est souvent considéré comme une perte de temps. C'est une activité antiproductive ; ce qui est la preuve que nous ne comprenons absolument pas nos propres mécanismes vitaux. Mais, il n'est pas trop tard pour retrouver l'insouciance de l'enfance, du moins, à certains moments propices. Il n'est pas trop tard, mais certains ont encore des croûtes à manger avant d'y arriver!

Arrivez-vous à être sans souci? Vous est-il facile de vous laisser aller à l'instant présent? Oui? Pas vraiment? Notre réponse donne une idée du chemin qu'il nous reste à parcourir avant de maîtriser l'art de la tranquillité. Pour ma part, j'y parviens difficilement. Oh! Je ne suis pas la seule! Bien d'autres s'activent sans répit ou s'agitent intérieurement et ne peuvent dominer le *hamster* dans leur cerveau, d'après l'image du docteur québécois Serge Marquis.

On peut vivre à un rythme palpitant et avoir une existence remplie de responsabilités et de mérites, mais à l'occasion, on doit reprendre haleine si l'on ne veut pas en crever. Comment rester tranquille quand on vit une vie de fou? Quand on est un parent de jeunes enfants ou d'adolescents en mutation, un étudiant qui désire obtenir son diplôme, un travailleur qui veut percer dans son domaine, une personne qui a des millions de projets à réaliser? Pouvons-nous être aussi disposés à trouver l'accalmie que les gens qui le sont par la force des choses, à la veille du dernier moment?

Le repos du guerrier

David Servan-Schreiber était persuadé qu'être en paix avec lui-même et accepter sa finitude lui permettait de canaliser toute l'énergie de son corps au service du rétablissement. Il avait appris qu'il pouvait aller au front pour une cause noble, mais que le guerrier en lui devait se reposer s'il ne voulait pas succomber sur le champ de bataille.

Une anecdote personnelle servira à illustrer qu'un peu de repos vient parfois à la rescousse de nos affections. Il fut un temps où j'étais ennuyée par des ulcères buccaux. J'ai tenté de comprendre ce qui provoquait ces petites lésions afin de les prévenir. J'avais remarqué qu'elles se montraient presque toujours le lendemain d'un jour où j'avais mangé du chocolat. Mais le café et les sucreries me faisaient le même effet. Je me suis dit qu'elles étaient sans doute reliées à mon taux d'acidité, et au stress qui le faisait grimper. J'avais beaucoup de peine à contrôler les symptômes qui survenaient de plus en plus fréquemment; le problème devenait chronique.

> *Le repos est l'ennemi de la maladie.*

Puis, j'ai eu l'occasion de réduire mon niveau de stress pendant une année sabbatique. Mes journées étaient bien remplies, mais je vivais à l'étranger. Surtout, ma routine avait changé. Je dormais mieux. Il n'était pas rare que mes nuits s'étirent jusqu'à dix heures. Au bout de quelques mois, mes lésions avaient complètement disparu. Je pouvais prendre un carré de chocolat sans me retrouver avec un ulcère le lendemain. Je suis convaincue que le sommeil a été un ingrédient clé dans mon processus pour me débarrasser de ce problème.

Nous n'estimons pas suffisamment l'importance du repos dans nos journées. Souvent, je dis à mon garçon que le meilleur remède contre ses maux est un «bon dodo». «C'est un conseil de maman…, réplique-t-il, tout le monde sait que les enfants vont au lit quand leurs mamans sont *fatiguées*!»

En quelque sorte, mon fils a raison. Mais, à notre défense, des scientifiques ont découvert que, quand on dort, toute une série de processus biochimiques et physiologiques se mettent en branle. Ils servent à réparer les dommages causés à l'organisme par nos activités normales de la journée. Ces réparations physiques surviennent surtout pendant les phases de sommeil lent profond. Durant cette période, la mélatonine, mieux connue sous le nom d'«hormone du sommeil», est libérée par le cerveau. Elle s'active sous l'effet de l'obscurité, lorsque la rétine n'est plus soumise à la lumière. La mélatonine abaisse la température corporelle et stimule la production des lymphocytes qui, à leur tour, tuent les microbes. Il semble que ceux qui dorment en moyenne huit heures par nuit soient les moins touchés par les maladies.

Au cours du sommeil profond, le corps se régénère.

Le plus étonnant en ce qui concerne le sommeil est que l'heure du coucher a une influence sur l'immunité. Selon une étude de l'Université Niigata au Japon, les couche-tôt auraient un taux de lymphocytes 10 % plus élevé que les couche-tard. Une autre étude japonaise, cette fois-ci de l'école de médecine de Kyushu, conclut que les adolescents qui se couchent de bonne heure contrôlent mieux leurs impulsions et compensent les dégâts causés par les heures passées devant l'écran et l'absence d'activité physique. Alors, mon fiston, cela fait… un point pour les mamans, zéro pour les enfants !

Le roupillon allonge la durée de vie

Certaines personnes apprécient tellement l'effet bienfaisant du repos qu'elles en profitent au milieu de leur journée ; elles font un roupillon au moment du coup de pompe, alors que la somnolence les gagne. Quand elles retournent à leurs occupations, elles ont l'agréable impression de commencer une nouvelle journée.

Mais ce n'est pas seulement une impression agréable, car la sieste a une fonction de restauration sur le plan physique. Selon une étude de l'école de santé publique de Harvard, un petit somme peut prévenir les affections ; il réduit du tiers les risques de crise cardiaque. La sieste a sans doute contribué à la remise en forme de mon ami Fernand, dont j'ai déjà parlé. Sa tumeur l'avait amené à réfléchir à la manière dont il traitait son corps, sacrifiant souvent ses besoins personnels au profit de ceux des autres. Il s'est promis que, dorénavant, il continuerait de s'activer, mais de façon modérée et à son rythme. Il ne ferait plus autant d'efforts pour accomplir diverses tâches, en remettant à plus tard les occasions de se détendre. Il ferait une sieste chaque jour, même si cela lui demandait de changer ses habitudes.

Le roupillon retape les gens qui s'y adonnent et ils y trouvent une façon douillette d'allonger leur vie! Une étude menée à l'Université de Reggio Calabria, en Italie, conclut que les personnes âgées qui remportent le concours de longévité sont adeptes de la sieste quotidienne. En outre, elles n'ont aucun problème à s'endormir, ne prennent pas de somnifères et se réveillent tôt.

Aldéa est plus que centenaire! Cette femme, aussi coquette qu'amusante, sage et au caractère unique, est la vedette d'un court-métrage acadien produit par l'Office national du film du Canada. Intitulé *Un dimanche à 105 ans*, il a été rendu populaire grâce à Internet. On l'y entend raconter le récit de sa journée: «Je m'appelle Aldéa Pèlerin-Cormier. Je suis née le 11 septembre 1901. J'ai 105 ans. Quand je me réveille, je fais un signe de croix. C'est le commencement de ma journée. Ensuite, je me lève, je m'habille, je déjeune. Si j'ai des petits ouvrages à faire, je les fais. Si je n'en ai pas, je m'assois, je me berce. J'attends le dîner. Quand le dîner arrive, je mange. Je me couche à nouveau. Quand j'ai assez dormi, je me lève et je m'assois. C'est ça mon passe-temps.»

La journée d'Aldéa se déroule à l'image de ses propos, dénudés et sans détour. À un âge vénérable, j'imagine qu'on n'a plus envie de se perdre dans des flaflas, comme on n'a plus la force de faire des pirouettes pour épater les autres. Pourtant, Aldéa a une telle vivacité d'esprit. Quand on lui demande si elle a peur de mourir, elle répond en riant de bon cœur qu'à son âge, elle se considère comme assez vieille pour ça! Elle ajoute qu'elle a passé une belle vie, qu'elle n'a jamais été malade et qu'au bout du compte, il n'y a pas grand-chose qu'elle n'a pas aimé! La recette d'Aldéa pour avoir vécu si longtemps? Le regard positif qu'elle jette sur son existence et... sa sieste d'après-midi!

Le temps, le temps...

Ne pensons-nous pas que la sieste est le privilège des gens retraités et des personnes âgées ? Que nous manquons de temps pour nous laisser aller dans le farniente, cette paresse paisible ? Si vous vous questionnez sur la place qu'il vous faudrait lui accorder dans votre propre vie, voici le récit inspirant d'un auteur inconnu qui met en jeu un pêcheur mexicain et un financier américain.

Dans un petit village côtier du Mexique, un bateau rentrait au port, rapportant plusieurs thons. Un financier, qui observait la scène, s'est approché du pêcheur pour le complimenter sur la qualité de ses poissons et lui a demandé combien de temps il lui avait fallu pour les capturer. « Pas très longtemps », a-t-il répondu. « Mais alors, pourquoi n'êtes-vous pas resté en mer pour en attraper plus ? » Le pêcheur a répliqué que ces quelques poissons allaient suffire à subvenir aux besoins de sa famille. Le financier a alors demandé : « Mais que faites-vous durant le reste de votre journée ? » « Je fais la grasse matinée, je joue avec mes enfants, je fais la sieste avec ma femme. Le soir, je vais au village voir mes amis. Nous buvons du vin et jouons de la guitare. J'ai une vie bien remplie... »

L'homme d'affaires l'a interrompu : « J'ai une maîtrise en finance d'une université prestigieuse et je peux vous aider, lui a-t-il dit. Vous devriez commencer par pêcher plus longtemps. Avec les bénéfices dégagés, vous pourriez acheter un plus gros bateau. Avec l'argent que vous rapporterait ce bateau, vous pourriez en acheter un deuxième, et ainsi de suite, jusqu'à ce que vous possédiez une flotte de chalutiers. Au lieu de vendre vos poissons à un intermédiaire, vous pourriez négocier directement avec l'usine et ouvrir votre propre manufacture. Vous pourriez alors quitter votre petit village pour Mexico, Los Angeles ou New York, d'où vous dirigeriez toutes vos affaires. »

Le pêcheur lui a alors demandé combien de temps cela lui prendrait. « Quinze à vingt ans. » « Et après ? » « Après, c'est là que ça devient intéressant. Quand le moment serait venu, vous pourriez faire entrer votre société en Bourse et vous gagneriez des millions. » « Des millions ? Mais après ? » « Après, vous pourriez prendre votre retraite, habiter dans un petit village côtier, pêcher un peu, faire la grasse matinée, jouer avec vos petits-enfants, faire la sieste avec votre femme et passer vos soirées à boire et à jouer de la guitare avec vos amis ! »

Du point de vue de ce riche financier, le temps c'était de l'argent. Pour cette raison, il s'est empressé de donner le plus judicieux des conseils au pêcheur mexicain : « Vous avez une fortune entre les mains, faites-la fructifier ! » Mais à votre avis, qui est le plus avisé des deux ? Celui qui accumule sa fortune en perdant beaucoup d'années de sa vie ou celui qui la vit simplement ?

> *Le pire d'entre tous les problèmes, c'est que nous n'avons plus le « temps » de nous reposer !*

Selon la sociologue et psychologue française Nicole Aubert, toutes ces expressions : gaspiller son temps, gérer son temps, gagner du temps ou économiser du temps, montrent à quel point nous sommes « malades du temps » en fin de compte ; un temps qui nous échappe sans cesse et dont le manque nous obsède.

Ralentir le tic-tac

Vous rendez-vous compte que, en règle générale, le seul moment dans la journée où l'on ne fait rien, c'est quand on dort la nuit ? On s'accorde un temps d'arrêt pour rejoindre les bras de Morphée, on se lève d'ordinaire avec le réveille-matin, l'invention la plus détestable qui soit, et on vit une existence ultraproductive.

Qui plus est, le temps est si relatif. Tout jeune, il nous paraît extensible. À un âge certain, il nous nargue comme un coureur de piste nous doublant à grande vitesse. Plus l'on vieillit, plus le temps passe vite. Il n'a vraiment pas la même allure lorsqu'on avance en âge ou qu'on approche de notre fin. À ce moment-là, on souhaiterait arrêter les aiguilles de notre montre, ralentir leur tic-tac pour savourer chaque instant. Impossible !

Pourtant, c'est exactement ce qu'a vécu une amie qui m'a télé-phoné récemment. Je n'avais pas eu de ses nouvelles depuis belle lurette, et voilà qu'elle était au bout du fil. Elle m'a raconté qu'elle vivait une expérience vraiment incroyable ! D'abord, elle m'a annoncé qu'elle s'était fait opérer pour un cancer au col de l'uté-rus. J'étais sous le choc ! Puis, elle m'a rassurée, tout allait très bien. Mon amie était au repos pour quelques mois. Elle n'avait jamais pris de congé de sa vie ! Pendant les vingt ans où elle avait travaillé, elle ne s'était jamais considérée comme *assez* malade pour mériter une seule journée de répit. Elle m'a énuméré les joies qu'elle a découvertes en congé de maladie : aller au lit lorsqu'elle s'endort, se lever lorsqu'elle se sent reposée et s'assoupir de nou-veau quand elle est exténuée. En arrêt de travail forcé, elle s'est autorisée à faire des activités oisives, comme feuilleter un album de photos ou lire un roman plutôt qu'examiner une revue scienti-fique. En plus, à cause de son opération, elle doit se mouvoir avec une extrême conscience de chacun de ses gestes. Chaque mouve-ment est un véritable recueillement, m'a-t-elle expliqué. Elle ne s'est jamais sentie aussi bien !

Un cœur qui va bien bat bien.

Cette amie en convalescence a appris combien il est bénéfique de ralentir son tempo. Quand on réussit à le faire, c'est tout notre organisme qui en profite. Il est d'ailleurs étonnant de réaliser que le rythme de notre cœur suit le rythme de nos journées. Plus on est agité intérieurement, plus notre vie file à toute allure et… plus notre cœur bat vite. À l'opposé, plus on savoure chaque heure de notre vie, plus le temps semble s'éterni-ser et… plus notre cœur s'apaise.

Ceux qui parviennent à ralentir l'effet du temps sur leur organisme savent réguler les battements de leur cœur. Des chercheurs de l'Institut HeartMath expliquent que le cœur est bien plus qu'une simple pompe. Il fonctionne comme un régulateur qui dose la chimie du corps et stimule l'activité du cerveau. Selon eux, lorsqu'on est stressé, notre cœur s'accélère et ses battements deviennent irréguliers; lorsqu'on se calme, il ralentit et retrouve sa régularité.

Voulez-vous essayer? Respirez en gonflant vos poumons pendant quelques secondes et en comptant lentement 1-2-3-4. Puis, en les vidant en autant de secondes, 1-2-3-4. Pendant ce temps, imaginez que votre cœur est habité d'un sentiment de paix. Selon cette technique appelée «cohérence cardiaque», vous apprenez à votre cœur à faire tic-tac comme une horloge, lentement, régulièrement, paisiblement.

L'éloge du farniente

Arriveriez-vous à vous asseoir en silence au moins dix minutes par jour? Oui, mais il faudrait revoir votre horaire déjà bien rempli. En quoi cela serait-il utile? Il nous semble parfois insensé de nous arrêter et de *ne rien faire*. Du reste, on se dit qu'il faut bien plus que dix minutes pour que cela en vaille la peine. Or, c'est ce que suggère de faire l'auteur mexicain don Miguel Ruiz, et que nous devrions mettre en pratique à chaque occasion, qu'on ait une, deux ou dix minutes.

Déposons ce livre, fermons les yeux et ne «faisons rien», pendant quelques minutes.

Après l'éloge de la fuite d'Henri Laborit, l'éloge de la lenteur de Carl Honoré, on pourrait proposer *l'éloge du farniente*! Mais celui-ci existe déjà depuis longtemps. Il a même un nom. Quand les gens ont vu que ne rien faire était une bonne chose pour leur corps, ils ont appelé cela de la relaxation ou de la méditation.

Des adeptes de la *pleine conscience* apprennent à stopper leur agitation intérieure en observant ce qui se passe dans l'*ici et maintenant* sans tenter d'y changer quoi que ce soit. Le fondateur de cette approche (aussi connue sous le nom de *mindfulness*) et professeur en médecine Jon Kabat-Zin explique qu'on est toujours affairé à quelque chose. Mais ce qui est vraiment particulier, c'est qu'aussitôt qu'on ne fait rien, les choses deviennent toutes simples. Elles deviennent ce qu'elles *sont*. Pour nous convaincre des vertus de ce qu'il appelle pour sa part le « non-agir », il suggère l'idée plutôt convaincante que si nous mourions à cet instant précis, le monde qui nous entoure continuerait à exister... sans nous. Il est donc inutile de nous en faire pour tout, ou de vouloir être dans la parade, toujours et en tout temps. On peut la regarder passer de temps en temps !

Jon Kabat-Zin enseigne aux malades à ne rien faire en prenant la position de témoin. Cette position est plus facile à adopter quand ils s'imaginent telle une montagne solide, pleine, suffisante en elle-même. Cette montagne n'a pas besoin qu'on s'en fasse pour elle. Elle se dresse depuis des millénaires et aucune tempête ne saurait la déplacer. Ils peuvent aussi s'imaginer tel un lac stable, plein, profond. Il ondule par lui-même et n'a pas besoin d'aller quelque part. Quand un lac est troublé, ses profondeurs demeurent paisibles. Si une roche frappe la surface de l'eau, le lac lui-même reste imperturbable. La roche fait des éclaboussures, mais quelques secondes plus tard, l'eau reprend son aspect lisse. Quand votre esprit est agité ou qu'une circonstance malheureuse vous heurte, pensez à ces images ; devenez comme une montagne inébranlable ou un lac imperturbable.

Le Tibet dans notre lit

Méditer est un remède contre la maladie. Des phénomènes spectaculaires ont été observés dans le cerveau de moines tibétains en pleine méditation. À l'aide d'électrodes qu'on a installées sur leur crâne, on a remarqué une activité intense dans la région gauche du cortex frontal, responsable d'apaiser l'humeur. Tout leur cortex semblait fortifié, si bien que le cerveau des moines âgés ne semblait pas subir autant l'effet du vieillissement que la moyenne des hommes de leur âge. Leur système immunitaire était très efficace et leur taux de cortisol, l'hormone du stress, moins élevé que la moyenne.

Le moine bouddhiste Tulku Thondup Rinpoché relate que l'un de ses amis s'est ainsi rétabli d'un cancer à deux reprises. La première fois, les médecins l'avaient condamné en lui disant qu'il ne lui restait plus que cinq mois à vivre. Il s'est donc préparé à l'éventualité de la mort et s'est mis à pratiquer la méditation de manière intensive. Cinq mois plus tard, non seulement était-il encore en vie, mais il n'y avait plus de trace de cellules cancéreuses. Puis, il a vécu cinq ans sans problème mais a fait une rechute. Même pronostic des médecins : l'opération ou la mort ! Mais cet ami a préféré la méditation qui, une fois de plus, a contribué à son rétablissement. Il a maintenant 83 ans, dit le moine, et il se porte bien.

La bonne nouvelle, c'est qu'il n'est pas nécessaire d'aller dans les montagnes enneigées du Tibet pour profiter des bienfaits de la méditation. Il n'est pas non plus obligatoire d'entreprendre une pratique assidue de la méditation, ni même de méditer tout court, pour vivre une détente divine. À un moment précis de la journée, nous connaissons tous un état altéré semblable à celui de la méditation, dans lequel nos perceptions se confondent ; il n'existe alors plus de temps, plus de passé ni de futur, l'espace est illimité, la mobilité n'est plus un problème, le soi semble connecté à l'Univers. Ce moment, précise la psychologue québécoise Monique Brillon, survient juste avant de s'endormir et de se réveiller.

Durant ce moment, le temps ne s'arrête pas, mais *nous* nous arrêtons. Notre corps passe en mode « parasympathique », c'est-à-dire qu'il se met à fonctionner au ralenti. Le système parasympathique n'a pas besoin de notre volonté pour se mettre en marche ; la preuve en est que notre cœur continue de battre même quand nous dormons. Il fonctionne à l'opposé du système sympathique, qui nous met en état d'alerte, ce qui a pour effet de dilater nos pupilles, de stopper notre digestion, d'augmenter la sudation, d'accélérer les battements du cœur et de couper le souffle. Le docteur en médecine et psychothérapeute français Thierry Janssen explique que dans les moments commandés par notre système parasympathique, notre corps est calme et lent ; c'est alors que nos défenses naturelles sont les plus efficaces. La nuit est donc un moment propice pour laisser notre organisme recourir à ses propres remèdes.

Rentrer dans sa coquille

Réussissez-vous à avoir des nuits réparatrices ? Vos journées sont-elles trop bien remplies pour goûter, si ce n'est que par moments, aux bienfaits du mode parasympathique ?

Il faut parfois se retirer dans notre coquille, loin de l'agitation, pour ressentir un équilibre physique et mental. « Afin de survivre, les gens qui sont malades ont appris à s'octroyer leur propre espace », écrivait le radio-oncologue québécois Christian Boukaram. Cet isolement leur est bénéfique, tout comme il peut l'être pour chacun de nous.

Loin des turbulences de la vie quotidienne et à l'écart des gens qui ont *besoin* de nous, nous retrouvons la quiétude. Nous *nous* retrouvons. Le neuropsychologue américain Rick Hanson, qui pratique la méditation de façon assidue, insiste sur l'importance de trouver un sanctuaire qui nous protège des regards extérieurs et où nous pouvons baisser notre garde.

Nous sommes sensibles à ceux qui nous entourent et n'avons pas toujours une excellente aptitude à nous isoler, même mentalement. Nous avons de la difficulté à prendre nos distances avec le brouhaha extérieur. De leur côté, certains ont le talent de rendre leurs contrariétés contagieuses; nous captons leur mauvaise humeur et devenons bourrus à notre tour. Sans compter que, quand nous sommes en présence des autres, nous nous préoccupons habituellement de leur bien-être et finissons par oublier le nôtre.

Parfois, il faut rentrer dans notre coquille pour retrouver l'équilibre.

Personnellement, je rêve de me retirer quelque temps dans les bois, comme Henry David Thoreau, qui se rendit à Walden pour y mener une vie simple. D'ici là, quand je veux me couper du monde, je me rends à un monastère près de chez moi. À cet endroit, je me laisse bercer par les chants grégoriens, je savoure de copieux repas, je m'adapte au rythme de la journée des moines. Et, je l'avoue, cette prise en charge me fait du bien. Je peux me détendre et cesser d'organiser ma journée et celle des autres!

À l'occasion, je profite aussi des vacances au soleil pour faire de longues marches sur la plage déserte. Au petit matin, alors que ma famille est encore endormie, je sors en catimini de la chambre, je rejoins les grands espaces de sable blanc et m'arrête pour regarder les vagues déferler, en suivant une cadence qui ressemble aux pulsations de la Terre. J'entends le bruit de la mer qui étouffe celui de mes pensées. Mais, il ne m'est pas nécessaire d'aller bien loin pour trouver un sanctuaire. J'ai la chance d'être entourée de nature, ce qui m'apporte une paix profonde. Cette paix vient peut-être du fait que j'accorde mon rythme à celui des arbres et des plantes qui poussent, des oiseaux qui chantent, de la pluie qui tombe, du vent qui souffle. La nature est mon église; je m'y recueille comme d'autres prient lors d'une cérémonie religieuse.

Un refuge dans la nature

Il n'est pas toujours simple de s'isoler ou d'entrer dans sa coquille. Parfois, il faut fermer la porte et mettre l'écriteau «Ne pas déranger». D'autres fois, il faut s'en aller ailleurs pour être seul avec soi-même. Avez-vous un havre de paix où vous êtes à l'abri des appels ou des visites impromptues? Aimeriez-vous partir loin pour vous retrouver? Est-ce que la nature vous apporte un apaisement, une connexion quasi spirituelle?

Le psychanalyste québécois Guy Corneau se souvient que lorsque son père pénétrait dans la forêt, il disait qu'il entrait au paradis! Pour sa part, David Servan-Schreiber écrivait ceci: «Je ne connais pas d'étude scientifique qui étaye cette intuition, mais je suis convaincu que l'harmonie avec la nature contribue à la santé.» Celui-ci était intimement persuadé que le bois, les montagnes, les rivages permettaient aux malades et à chacun de se ressourcer.

À ce propos, Servan-Schreiber relate le récit d'une Canadienne nommée Molly qui s'était retirée dans la nature pour soigner une tumeur. Elle avait reçu son diagnostic de cancer à un stade aussi avancé que le sien. Par ailleurs, après avoir subi un traitement conventionnel au début, elle n'avait quant à elle connu aucune rechute. Dix ans plus tard, elle survivait encore. Elle devait peut-être cette «rémission exceptionnelle», écrivait David, au fait qu'elle soit partie vivre dans un isolement quasi complet, mais aussi parce que, chaque jour, elle se promenait longuement au bord d'un lac. Quand on lui demandait ce qui l'aidait le plus à tenir à distance la maladie, elle répondait toujours: «Le calme, c'est le calme qui me protège.»

Une autre survivante découvrit à son tour les bienfaits de la nature. Sur son site personnel[1], Niro Markoff Asistent, une Belge, raconte qu'elle se sentait en mauvaise santé et ne parvenait pas à savoir ce qu'elle avait. Or, les symptômes qui la dérangeaient, les

---

1. http://www.sidasante.com/temoigna/temniroa.htm

diarrhées, les sueurs nocturnes, les champignons, la fatigue, avaient un nom. Un petit nom de quatre lettres : sida. Lorsqu'elle a appris l'horrible nouvelle, elle a décidé de vivre un jour à la fois, une heure à la fois. Elle était encore capable de travailler, de méditer et de marcher, écrit-elle, c'est ce qu'elle allait faire... « Ce qui m'a sauvée, affirme-t-elle, c'est mon contact avec la nature. »

La nature nous ramène à notre essence en tant qu'être vivant.

D'instinct, quand les moments d'anxiété étaient trop forts, elle faisait de grandes balades le long de l'océan. Son contact avec la nature était la seule chose qui l'apaisait dans les moments de colère.

Les études montrent que la simple vue de paysages buco-liques a un effet salutaire sur notre santé, mais c'est encore mieux quand on s'y promène librement. Le neuropsychologue Rick Hanson explique que l'oxygène est au corps ce que le carburant est à la voiture ; en respirant l'air pur, nous augmentons notre taux d'oxygène, nous réveillons nos cellules responsables de reconnaître et de combattre les maladies.

Mais ce n'est pas seulement une question d'air et de cellules. Le contact avec Mère Nature procure un fort sentiment de bien-être, comme si nous étions partie intégrante de l'Univers. Nous vibrons avec l'Univers ; un tel état vient toucher nos cordes profondes. Cela ressemble à l'effet d'une musique qui nous bouleverse ou nous transporte. Nous vivons alors un sentiment de « *flow* », comme l'appelle le psychologue hongrois Mihály Csikszentmihályi. Nous sommes complètement immergés dans ce que nous ressentons, nous perdons la notion du temps et de ce qui a lieu à l'extérieur de nous. Dans cet état, je suis convaincue que nous nous soignons.

Prendre soin de soi

De l'histoire de David Servan-Schreiber, on peut tirer une conclusion : même si on met tous les atouts dans son jeu, le jeu, lui, n'est pas gagné d'avance. Ni les traitements conventionnels, ni une alimentation saine ne suffisent à rebâtir définitivement notre santé tant qu'on néglige de prendre soin de soi. Au terme de sa pénible expérience, l'auteur reconnaissait « l'absolue nécessité de trouver la sérénité intérieure et de la préserver ». Il croyait à un équilibre de vie qui réduit le stress, grâce au repos. En second, il plaçait l'activité physique dont, écrivait-il, « on ne dira jamais assez l'importance ». Bouger est l'une des meilleures façons de parvenir à s'apaiser. C'est la meilleure option pour ceux qui se morfondent à l'idée de s'arrêter, même dix minutes !

Nous ne sommes pas tous sur le point de mourir et, avant d'être rendus là, nous pouvons nous demander si nous prenons suffisamment soin de nous-mêmes. Prenons-nous le temps de vivre à la « mexicaine » ou sommes-nous aspirés par des ambitions de haute voltige ? Nous autorisons-nous une petite sieste au quotidien ? Laissons-nous nos systèmes parasympathiques et immunitaires faire leur travail, afin que notre corps se régénère ? Ou sommes-nous occupés à « ramasser des cailloux » qui, de toute façon, devront être abandonnés à la veille du grand voyage ?

Et vous ? Vous agrippez-vous à des aspects de votre existence qui vous semblent *très* importants ? À quoi, au juste ? Aux attentes des autres qui deviennent des exigences personnelles, aux plaisirs et aux possessions que vous procure l'argent, au sentiment d'accomplissement suscité par l'atteinte de vos buts, de vos défis ou de… votre mission ? Le fait que vous vous y agrippiez, même quand il s'agit d'une chose qui vous passionne, peut finir par vous épuiser physiquement et moralement.

D'un autre côté, il ne faut pas penser que si une personne n'arrive pas à être paisible en tout temps, le pire peut survenir !

Nous n'avons pas à nous sentir responsables d'avoir provoqué nos affections, ce qui n'aiderait pas à améliorer notre état. En outre, il y a un danger à s'imposer la sérénité absolue sans questionner nos vieux réflexes; celui de s'adonner en panique à des activités prétendument relaxantes — des cours de yoga ou des longueurs à la piscine — qui s'ajoutent à notre horaire déjà surchargé. Vous n'avez pas à devenir des «superdétendus» en vous imposant une discipline qui ne fait qu'apporter un surplus de stress à votre quotidien. Le but est de vous *libérer* de la pression, pas de vous en mettre davantage sur les épaules!

> *S'il nous faut courir pour nous détendre, nous n'avons rien compris!*

Quand on court après la détente ou qu'on se croit, tel un superhéros, capable de s'activer sans cesse et sans repos, c'est qu'on a une conception plutôt mécanique de notre corps. On se compare à des machines, des «machines à vivre», comme l'aurait formulé le poète français Paul Valéry. Nos expressions journalières le montrent bien; nous sommes *rouillés*, nous perdons le *contrôle* ou les *pédales*, nous *reculons* devant un défi, nous nous *dégonflons* ou nous virons *capot*, nous *déraillons*. Le problème, c'est qu'occasionnellement, nous considérons notre corps comme une machine *inépuisable*. Nous pensons qu'avec un plein d'essence, nous pouvons *rouler* sans jamais nous reposer.

Même si nous avons effectivement besoin de *recharger nos batteries*, notre corps n'est pas une machine. Nous possédons des capacités beaucoup plus merveilleuses qu'un engin à quatre roues. En outre, nous avons un cœur sensible et un esprit vif. Si nous apprenons à veiller sur ceux-ci, avec humanité, et que nous nous occupons convenablement de notre corps, nous mettons toutes les chances de notre côté de vivre en santé et heureux.

Les nœuds émotifs

Installez-vous confortablement dans un endroit tranquille. Prenez conscience de votre corps en passant en revue chacune de ses régions, l'une après l'autre. Observez les tensions qui s'y logent éventuellement, et découvrez les images ou les souvenirs qui ressurgissent. Si telle est votre expérience, accueillez les émotions qui montent en vous.

Attardez-vous ensuite à dénouer les nœuds émotifs qui peuvent créer une tension dans les segments de votre corps. Expirez et sentez l'air traverser chaque segment et libérer chaque nœud. Abaissez les épaules, laissez choir vos bras et détendez vos mains. Relâchez votre bassin, vos jambes, vos pieds. Décontractez votre cou, détendez chaque muscle de votre visage, desserrez votre mâchoire… Maintenant, si vous en avez la disponibilité, savourez la détente que cela procure.

L'art du lâcher-prise

Le lâcher-prise s'exprime par le détachement que l'on éprouve à l'égard de nos biens matériels, de nos réussites professionnelles, de nos amours passés et récents, des événements… de tout. Pour ceux qui vivent une perte, qu'elle soit physique ou psychologique, cela veut dire *s'abandonner à la vie*.

Au quotidien, des gestes simples constituent un moyen de pratiquer l'art du lâcher-prise. Demandez-vous jusqu'à quel point vous êtes à l'aise pour faire les gestes qui suivent. Puis, choisissez celui que vous réussissez *presque* à faire et poussez-le un peu plus loin afin d'exercer votre aptitude à lâcher-prise.

- Admettre ouvertement que vous avez tort, que l'autre a raison.
- Être sincèrement heureux pour la réussite d'un autre.
- Accueillir à bras ouverts un imprévu.

- Laisser votre enfant prendre une décision, sans vous en mêler.
- Consentir sans retenue aux projets de votre partenaire de vie.
- Arrêter au milieu d'une tâche « urgente » et prendre trois respirations profondes.
- Manifester un intérêt authentique pour une opinion différente de la vôtre.
- Adopter une attitude zen en faisant la queue.
- Éprouver de la gratitude pour les « leçons de vie ».
- Garder le sourire lors d'une interruption de services Internet.
- Repousser une obligation professionnelle au profit du plaisir d'être avec les vôtres.
- Laisser tomber une chose qui vous tenait à cœur.
- Accepter de voir partir ou de voir mourir l'un de vos proches.
- Dévoiler la personne que vous êtes, en toute humilité.
- Etc.

Compter les moutons ou... les mercis

Le regretté Christopher Peterson, professeur en psychologie à l'Université du Michigan, suggérait un rituel afin d'améliorer la qualité de nos nuits. Le soir, avant de vous endormir, recommandait-il, dirigez votre esprit vers ce qui vous a rendu heureux. Par exemple : une conversation avec un ami, la lecture d'un livre, le sourire d'un inconnu, un moment de quiétude, un bon résultat au travail, quelque chose qui vous laisse une impression plaisante. Ensuite, plutôt que de compter les moutons, comptez les mercis que vous souhaitez adresser à chaque personne et pour chaque situation qui a fait une différence dans votre journée. Si vous vous endormez heureux, vous avez des chances de vous réveiller heureux.

Pense-bête pour les paisibles

Mettons toutes les chances de notre côté d'être
en bonne santé en prenant soin de notre cœur,
de notre esprit et de notre corps.

Soyons prêts à découvrir l'endroit où le courant nous
conduit et cessons d'agir sous l'emprise de la peur.

Cultivons le calme intérieur pour nous protéger
contre la maladie.

Détachons-nous de ce qui nous semble si capital,
quand par ailleurs et en retour, cela nous épuise.

Soyons libres, en apprenant à lâcher prise.

Exprimons nos émotions et dénouons ainsi
nos nœuds émotifs.

Maîtrisons l'art d'être tranquille.

Prenons le temps de nous reposer pour
combattre la maladie.

Accordons-nous une sieste quotidienne.

Déposons ce livre, fermons les yeux et
ne «faisons rien», pendant quelques minutes.

N'hésitons pas à rentrer dans notre coquille et
à nous retrouver.

Trouvons refuge dans la nature.

CHAPITRE 7
Les increvables

Une légende urbaine raconte qu'un homme, après avoir tout essayé pour aller mieux, en vain, a décidé de se suicider. Il a consulté un psychologue et lui a demandé de l'aider à réaliser son ultime projet, celui de mourir. Le psychologue a consenti et lui a fait une recommandation un peu bizarre. «Chacun des prochains jours, dit-il, courez dans les rues de votre quartier, jusqu'à ce que votre plan se réalise.» Le gars s'est mis à courir avec détermination, comme on le lui avait conseillé. Vous devinez la suite… Au bout de quelques semaines, il n'a plus du tout eu envie d'en finir; il s'était remis en forme et avait trouvé un nouveau sens à sa vie.

Ce petit récit inusité résume en quelques lignes le présent chapitre. D'ailleurs, tous ceux qui s'entraînent régulièrement connaissent l'effet euphorisant de la sérotonine dans leur sang. Après avoir fait quelques efforts, ils voient la vie autrement. Ils la savourent! Cet état est semblable à celui que nous ressentons lorsque nous sommes très détendus. D'ailleurs, certains préfèrent se défoncer physiquement plutôt que de rester dans la position du lotus pour trouver l'apaisement de leur corps.

En fait, l'activité physique *et* le repos contribuent à une vie meilleure. Dans des circonstances aussi critiques que celles d'un homme qui veut mettre fin à ses jours, se concentrer sur le mouvement est une excellente façon de tenir le désespoir à distance. Mais l'exercice physique ne fait pas que remonter le moral !

Si les *increvables*, dont je parlerai, sont encore en vie, s'ils n'éprouvent pas autant que les autres la fatigue due à leur maladie ou aux traitements, c'est que l'activité physique réduit au maximum le stress, et qu'au bout du compte, elle ramène la santé. On ne compte plus les études qui prouvent qu'un peu d'exercice quotidien aide à prévenir les maladies courantes ; on sait maintenant qu'il permet de lutter contre des affections plus sérieuses. De grands malades ont vu leur condition évoluer considérablement et leur espérance de vie s'accroître grâce à l'exercice physique. Ils ont mis en application l'expression bien connue « un esprit sain dans un corps sain ».

Jean dit... « stop » !

Lorsque j'étais jeune, nous étions souvent obligés de rester bien sages : debout en rang, assis en classe, à genoux à la messe. Nous jouions aussi à des jeux qui exigeaient de bouger le moins possible. Je me souviens de la statue, où un camarade nous propulsait dans les airs et où, à l'atterrissage, on devait rester immobile, souvent dans une position qui faisait rire. Vous connaissez peut-être un autre jeu que les jeunes enfants adorent, celui de Jean dit... Ils doivent se tenir à une extrémité du gymnase, de la cour d'école ou de la rue, et se rendre à l'autre bout. Le meneur de jeu crie : « Jean dit... courez ! », « Jean dit... rampez ! », et les enfants se mettent à courir ou à ramper. Quand le meneur omet de dire les mots « Jean dit... » — par exemple, s'il crie : « Avancez » —, les enfants doivent figer sur place ; s'ils avancent, ils sont éliminés.

De nos jours, les jeunes se livrent à des passe-temps qui les rendent plus passifs que jamais. Comme eux, plusieurs d'entre nous ont une existence sédentaire. Selon une étude menée par le chercheur Pedro Hallal de l'Université de Pelotas, au Brésil, portant sur la population de 122 pays, 4 adolescents sur 5 ne font pas suffisamment d'exercice physique. L'inactivité touche le tiers des adultes. Elle emporte plus de cinq millions de personnes par année et est responsable d'un décès sur dix, à peu près autant que le tabac ou l'obésité. Si l'on respectait les recommandations de l'Organisation mondiale de la santé, qui préconise de pratiquer au moins 30 minutes de marche rapide, 5 jours par semaine, l'espérance de vie de la population mondiale augmenterait de 0,68 an.

Il arrive bien sûr que nous soyons obligés, par notre travail, de rester sur une chaise pendant de longues heures. Lors de réunions qui s'éternisent, nous restons dans la position *assise* comme des toutous bien élevés. Nous sommes assis, et pourtant nous sommes exténués. Avoir le privilège de ne plus faire d'effort physique pour gagner son pain est un signe de progrès social, mais une plaie pour notre corps, qui s'atrophie. À la longue, nos muscles ramollissent, notre endurance physique diminue et notre cœur en bave au moindre effort.

Être inactif devient un problème quand, par obligation ou par choix, nous adoptons un mode de vie de *pantouflard*. Nous en venons à ressentir un état d'abattement, tant physique que mental. Mais qu'en est-il de ceux qui sont allongés dans leur lit d'hôpital pendant des semaines, voire des mois, des années ? Une personne malade qui cesse de se mouvoir est de moins en moins capable de faire des activités, et de plus en plus fatiguée. Le pire, explique la psychologue québécoise Josée Savard, c'est que cette fatigue normale finit par être perçue comme quelque chose de « catastrophique », ce qui amplifie l'intensité des symptômes et amène la personne à se morfondre encore plus.

> Plus on reste immobile, plus on se sent fatigué ; plus on est fatigué, plus on devient malade.

Des héros devant la maladie

Des gens malades se rongent les sangs parce qu'ils éprouvent une fatigue normale. Nous-mêmes sommes de plus en plus abrutis à force de passer une partie de nos journées devant un écran et nos soirées devant la télé. Les jeunes ne se donnent plus la peine d'enfourcher leur vélo pour se rendre à deux coins de rue, ils demandent à un de leurs parents de les conduire.

À l'opposé, d'autres, après avoir encaissé de lourdes pertes physiques, se retroussent les manches et deviennent de véritables héros devant la maladie ou leur handicap. Le Français Philippe Croizon est l'une de ces personnes. Il travaillait sur son toit à démonter une antenne de télévision quand il a été foudroyé par une décharge électrique d'une ligne à haute tension. La première décharge a provoqué un arrêt cardiaque et la seconde l'a ranimé. Mais cet incident lui a coûté ses quatre membres, dont il a dû être amputé.

Il s'est pourtant remis à marcher, à conduire et même à faire de la plongée sous-marine, son sport favori. Puis, il a écrit son autobiographie, intitulée *J'ai décidé de vivre*, et pris la décision de réaliser un rêve fou qui avait germé dans son esprit après l'accident, alors qu'il était sur son lit d'hôpital. Il allait transformer son handicap en un défi hors norme : traverser la Manche à la nage. Pour accomplir son défi, il a fait concevoir des prothèses équipées de palmes fixées à ses moignons de jambes, et il s'est entraîné pendant deux ans, plus de trente heures par semaine. Quelques années plus tard, il a *réussi* cet exploit pour se prouver à lui-même qu'il pouvait dépasser ses limites et, a-t-il dit, pour donner de l'espoir à tous ses compagnons d'infortune.

Un autre héros, le jeune Canadien Rick Hansen, avait 15 ans lorsqu'il a perdu l'usage de ses deux jambes. Il se tenait dans la caisse ouverte d'une camionnette quand celle-ci a dévié de sa route et heurté un arbre. Il a été projeté hors de la caisse et s'est blessé à la colonne vertébrale. C'en était fini de ses membres inférieurs, mais pas de sa détermination ! Il allait montrer qu'il pouvait accomplir de bien grandes choses, malgré sa paralysie. Il a suivi un programme de réhabilitation, terminé ses études et est devenu le premier étudiant en fauteuil roulant à posséder un diplôme en éducation physique de l'Université de la Colombie-Britannique. Ensuite, il s'est affirmé comme l'un des meilleurs coureurs en fauteuil roulant au monde. Il a gagné le tout premier marathon paralympique. Ses nombreuses victoires lui ont valu d'être nommé « athlète canadien de l'année », aux côtés du légendaire Wayne Gretzky.

Mais de tous ses exploits, l'un d'eux est sans doute le plus notoire. Rick Hansen avait suivi avec grand intérêt le Marathon de l'espoir de son comparse Terry Fox, qui, après avoir été amputé d'une jambe à la suite d'un cancer des os, avait entrepris une course, à l'aide d'une jambe artificielle, entre Terre-Neuve et Vancouver. Malheureusement, celui-ci a été forcé d'arrêter au milieu de son périple. Des métastases de son cancer des os avaient gagné ses poumons. Il est tombé dans le coma et est décédé d'une pneumonie un an après sa course légendaire, à un mois de son vingt-troisième anniversaire.

S'inspirant de son combat, Rick Hansen a prévu un plan plus ambitieux encore. Il voulait changer la perception du public à l'égard des personnes handicapées. Il a entrepris rien de moins qu'un tour du monde en fauteuil roulant ! Au cours de son périple de deux ans, deux mois et deux jours, il a traversé 34 pays sur quatre continents. À l'instar de Terry Fox, il est considéré comme une idole internationale.

Un défi à notre mesure

Avons-nous la trempe d'un Philippe Croizon ou d'un Rick Hansen ? Leurs prouesses héroïques nous fascinent autant qu'elles nous semblent impossibles à reproduire. Pourtant, on ignore souvent le courage dont on est capable jusqu'à ce que la vie nous accule au pied du mur. Elle nous oblige alors à faire preuve d'aptitudes

> *Nous sommes
> les héros
> de notre santé
> quand nous nous
> tenons debout
> devant la maladie.*

qui ne s'étaient jamais encore manifestées. Nous découvrons que nous sommes des héros, à notre façon.

Le psychologue américain Philip Zimbardo disait que l'héroïsme était un acte à la portée de tous. On devient un héros, affirmait-il, lorsqu'on se tient debout devant l'adversité. Quand, malgré les douleurs physiques ou les souffrances morales, on bouge un peu, on fait quelques pas et on met le nez dehors.

Lorsque Martine Tempier, une Française atteinte d'une forme grave d'arthrite, a entendu son médecin lui dire qu'elle allait devenir incapable de marcher d'ici deux ans, devinez comment elle a réagi. Elle s'est fixé comme objectif de courir le marathon de New York! Elle a commencé à s'entraîner assidûment. Chaque pas était très douloureux, mais il la rapprochait de son objectif. Elle se disait qu'elle courait pour réaliser son pari et pour gagner du terrain sur la maladie. Au bout d'un an, elle était en meilleure forme. En plus de la course, elle s'adonnait au vélo. Trois ans plus tard, elle faisait plus de 4000 km sur deux roues. L'exercice était sa thérapie. Aujourd'hui, elle passe plus de huit heures par semaine en plein air, à faire du vélo et de la randonnée pédestre.

Stéphane Cascua, médecin du sport à l'hôpital de la Pitié-Salpêtrière à Paris, prétend que Martine s'est guérie grâce au sport. Pour cette femme, l'exercice a fait naître l'espoir de vivre des jours meilleurs. Mais on n'a pas à entreprendre un marathon pour voir sa condition évoluer, les buts que l'on se fixe peuvent être plus modestes. Une dame atteinte d'ostéoporose a pour sa part commencé à marcher régulièrement. Pour s'y mettre, elle a adopté un chien. Elle le promenait tous les jours au moins une demi-heure. Encouragée par ses progrès, elle a décidé d'en faire un petit peu plus. Elle a d'abord couru cinq minutes tous les matins, puis dix, puis vingt minutes, et deux ans plus tard, sa condition s'était nettement améliorée.

À l'instar de ces deux femmes, nous pouvons nous fixer un but qui correspond à nos capacités. Selon les spécialistes, une marche quotidienne à un bon rythme, c'est tout ce qu'il faut pour se remettre en forme. Il est possible que nous soyons rouillés au début, mais graduellement, notre corps deviendra plus agile. C'est comme utiliser un outil qu'on a laissé tout l'hiver dans le garage, qui a perdu de sa souplesse et qui résiste. Il faut le manipuler un peu et le tour est joué.

Quand nous sommes rouillés, l'exercice huile nos articulations.

Un, deux, trois... go !

Pierre Lavoie habite un petit village québécois sur le bord de la magnifique rivière Saguenay. Lorsqu'il était enfant, il s'est fait dire que l'activité physique n'était pas pour lui. Mais à 20 ans, ce travailleur d'usine et fumeur à ses heures s'est mis à s'entraîner avec acharnement. Quelques années plus tard, il remportait le triathlon Ironman d'Hawaii, une compétition d'endurance qui consiste à enchaîner 3,8 km de natation, 180 km de vélo et un marathon de 42,2 km ! Pour un gars qui n'avait aucun talent pour le sport, c'était pas mal !

Mais cette épreuve n'avait rien de comparable à ce qu'il a dû endurer lorsque ses deux enfants sont décédés, à quelques années d'intervalle, des suites d'une maladie héréditaire rare, l'acidose lactique. Il dit que perdre son enfant, c'est comme tomber dans le vide, sans jamais toucher le sol. On n'a plus de repères et on a mal partout. Après leur disparition, ce grand sportif a créé un défi à vélo, sur un trajet de 650 km en 24 heures. Son but était de financer la recherche pour découvrir le gène responsable de l'acidose lactique, mais surtout de sensibiliser les jeunes à une vie saine et active.

Quand un proche meurt, la situation est éprouvante sur le plan émotif. Mais, quand c'est nous qui sommes gravement malades, la situation nous touche *aussi* physiquement. Il faut avoir encore plus de cœur au ventre pour se secouer un peu.

Si seulement on pouvait être en forme sans remuer le petit doigt! Malheureusement, rien ne se produit quand on garde les fesses collées au canapé. Par analogie, le psychologue québécois Lucien Auger écrivait qu'il ne suffit pas de connaître la recette du bœuf bourguignon pour que, par enchantement, le plat se réalise tout seul. Les gens qui retrouvent la forme *font* quelque chose! Ils marchent, nagent, dansent, jardinent, pellettent la neige...

Le truc pour être en forme est de ne pas se poser de question et de plonger, tout simplement!

À ce propos, l'exercice est le genre de chose que l'on doit faire sans trop y penser. Quand on tergiverse, on risque de trouver toutes sortes d'excuses pour fuir l'effort. Mal en point, c'est encore pire; la motivation n'y est souvent pas. Or, il ne faut pas nécessairement attendre qu'elle y soit.

Marcher au lieu de prendre un café

Une chose me frappe chez mes collègues; cette habitude de prendre un café pour stimuler leurs neurones. Moi, je bois un fond de tasse et mon cœur palpite, mais trente minutes plus tard, je suis aussi endormie qu'avant la première gorgée. Alors j'ai décidé de me passer de cette potion savoureuse.

D'autre part, je me demande si c'est vraiment le café qui nous réveille. N'est-ce pas plutôt la petite marche pour se rendre jusqu'à la machine? En effet, j'ai découvert qu'on peut facilement remplacer un café par une marche de dix minutes qui, selon ceux qui s'y connaissent, donne de l'énergie pendant deux heures, tout en réduisant la fatigue et la tension. Néanmoins, si nous tenons vraiment à boire quelque chose, un jus de fruits semble préférable. Il apporte l'énergie nécessaire pour commencer notre journée, sans la toxicité de la caféine!

Le matin, une petite marche nous dégourdit. Le soir, elle nous procure une «bonne fatigue». On s'endort mieux et avec l'esprit plus léger que si on avait passé une heure devant les nouvelles télévisées.

> *Une marche vaut mieux qu'un café.*

Par ailleurs, il semble qu'on peut retirer beaucoup plus d'une simple marche. Le Français Angelo Ferro en a fait la preuve. Il avait une tumeur au cerveau dans une région inopérable, avec un pronostic déclaré de quelques mois. Il a reçu des traitements de chimiothérapie et de radiothérapie, mais au bout de quatre ans, à la suite d'une propagation des métastases, on lui a proposé l'opération de la dernière chance. L'intervention était risquée, alors il a décidé d'attendre à plus tard. Puis, il s'est mis en *marche*, au sens propre comme au figuré. Un matin, il a décidé de faire une expédition de 14 km en solitaire qui lui a permis de se reconnecter avec la nature. Il a réitéré ce circuit chaque semaine. Il semble que les marches, et l'ensemble des initiatives qu'il a entreprises pour son mieux-être, aient contribué à la disparition de sa tumeur; celle-ci a fait «pschitt», selon l'expression de son neuro-oncologue. À ce jour, Angelo a récupéré 90 % de ses capacités motrices; il joue au tennis, court, marche et vit encore!

Assez, mais pas trop!

L'Organisation mondiale de la santé estime que l'exercice physique régulier prévient la plupart des affections courantes et réduit le risque d'être atteint de maladies sérieuses. En fait, quel que soit le pronostic, il semble y avoir un bénéfice à se mettre en mouvement. Angelo Ferro est loin d'être le seul à y croire...

Le cancérologue français Thierry Bouillet enseigne le karaté à ses patients. Lui-même est un passionné de karaté ; il pratique ce sport depuis plus de trente ans. Il raconte que cette passion est née à l'adolescence, alors qu'il passait ses vacances d'été en Union Soviétique pour apprendre le russe. Il est alors tombé amoureux d'une jeune Russe, idylle qui lui a valu une course-poursuite et une bagarre dans les rues de Leningrad. De retour en France, il a choisi de faire du karaté pour mieux se défendre ! C'est en pratiquant ce sport et en s'en servant comme une échappatoire afin d'évacuer les tensions quotidiennes qu'il a eu l'idée de le proposer à ses patients. Leurs réactions positives ont renforcé sa conviction que la pratique sportive permet notamment de lutter contre la fatigue liée au cancer et aux traitements.

Cependant, pour qu'un exercice fasse une différence, il doit être assez soutenu. Pourquoi ? Parce que les hormones qui contribuent à la croissance des maladies ne diminuent que lorsque l'exercice atteint un certain niveau d'intensité, explique Thierry Bouillet. De plus, l'effort doit être soutenu sur une période assez longue, soit de six à douze mois, pour donner un effet tangible. Bien entendu, un tel programme pour des personnes épuisées par leur maladie n'est pas une chose facile, mais selon le cancérologue, outre le repos, l'activité physique est aussi la seule chose qui aide à diminuer la fatigue.

D'un autre côté, l'excès n'est pas recommandé. Des études arrivent à la conclusion que trop d'exercice n'est pas bon pour la santé ! Faire plus de deux heures d'exercice très intense par jour serait excessif. Admettons toutefois que c'est loin d'être un problème généralisé, puisque la plupart des gens n'en font probablement pas assez.

Du sport, avec le plaisir en tête

Le problème avec l'activité physique, c'est surtout qu'on s'entraîne souvent de façon rigide, sans y trouver d'agrément. On veut perdre du poids et ressembler à Barbie ou à Ken, mais on éprouve très peu de plaisir à le faire. On s'impose un programme strict, après une journée astreignante. Le boulot terminé, on rentre prestement pour préparer le repas et s'occuper des devoirs des petits, puis on rejoint nos partenaires de sport à la hâte. On court après une balle ou une rondelle, ou contre le chrono, parfois jusqu'à tard en soirée. Et on se demande pourquoi certains sportifs craquent; pourquoi la plupart des bonnes résolutions se perdent au bout de quelques mois; pourquoi les rues et les gymnases se vident au milieu de l'hiver. Pourquoi? Parce qu'on est trop exigeant!

J'en sais quelque chose... Quand j'étais jeune, je m'entraînais avec assiduité chaque jour. J'adorais la sensation d'aller au-delà de mes limites et gagner les compétitions auxquelles je participais. De la même façon, l'année dernière, lorsque j'ai recommencé à faire du jogging, je ne me suis pas contentée de trotter à mon rythme quelques fois par semaine. Fidèle à moi-même, j'ai entrepris un programme de 5 à 10 km chaque jour, et ce, six fois par semaine. J'ai même acheté une montre *high-tech* pour m'inciter à battre mes records de temps et de distance. À cause de cette fameuse montre, je voulais courir plus vite, toujours plus vite. Mais la réalité m'a rattrapée! J'ai commencé à avoir très mal au dos. Je me suis blessée aux lombaires, mais surtout, mon orgueil en a pris un coup. J'ai été amèrement déçue de constater que mes os et mes articulations avaient mon âge!

Cette malheureuse expérience m'a tout de même informée sur un point: les activités faites de façon excessive mènent souvent à des tensions. Que l'on coure pour battre des records ou que l'on se dépêche de faire nos emplettes, on risque de se retrouver avec un mal de dos, un cou raide ou une migraine, alors que si on se balade tranquillement dans un parc, on ne ressent aucune

> *Ne soyons pas aussi exigeants, dans le sport comme au travail.*

> *Si on a mal,
> c'est qu'on
> ne s'amuse plus.
> Et si on ne
> s'amuse plus,
> ce n'est pas bon
> pour notre santé !*

douleur. Nos maux physiques sont un baromètre de notre plaisir !

Depuis cette découverte, je me suis faite à l'idée. J'ai jeté dans le fond d'un tiroir la montre *high-tech* et j'évite de forcer mon corps à faire des efforts dommageables. Je garde le plaisir en tête ! Je fais du vélo et roule quelques kilomètres, mais après une randonnée modérée, je m'arrête pour admirer le lac et les montagnes, au loin. Je respire, je m'étire, je souris aux passants. Non seulement je retrouve la forme, mais cette activité me rend heureuse. Avez-vous envie de vous offrir du plaisir en bougeant ? De quelle manière le ferez-vous ?

À bas la déprime et l'anxiété !

L'exercice est bon tant qu'il ne devient pas une contrainte, c'est-à-dire que l'entraînement ne crée pas de nouvelles tensions ! Et là, je ne parle pas de la raideur des muscles qui ont travaillé fort, mais de celle de notre esprit, qui n'a pas su se relâcher et en tirer du plaisir.

L'un de mes amis, lorsqu'il est au travail, se sent éreinté, mais le même jour, il peut livrer une partie de tennis exténuante sans éprouver le moindre mal. Pourquoi ? Parce qu'il aime jouer au tennis ! Vous reconnaissez-vous ?

L'exercice apporte beaucoup de plaisir. Pour cette raison, il est particulièrement indiqué pour les gens qui traversent une période sombre. D'accord, quand on est déprimé ou anxieux, on n'a pas le cœur à faire de l'exercice, pourtant, celui-ci nous empêche de tomber plus bas. En effet, il augmente souvent l'estime de soi. Il est étonnant de constater qu'après quelques séances, on est mieux dans sa peau et moins complexé devant le miroir !

Après sa séparation, Philippe, un copain, était complètement par terre. Il a entrepris un programme d'entraînement qui l'a sorti de la dépression. Cet intello maigrelet n'avait pas le corps de l'emploi, mais vous devriez le voir maintenant! Il est athlétique comme un dieu grec. Il a plus d'énergie qu'il y a vingt ans. Le médecin français Stéphane Cascua relate de nombreux témoignages de gens qui se sont servis de l'exercice pour se remonter le moral. Parmi ceux-ci, Frédéric atteste que sans le sport, il n'aurait peut-être pas passé le cap de la trentaine. La vie lui était insupportable. Le sport est devenu une « évasion mentale ». Après une heure d'activité physique suivie d'une bonne douche, il se sent calme, disponible et heureux.

L'exercice est l'antidépresseur naturel par excellence.

Michel, lui, a commencé à courir pour perdre du poids. Mais lorsque deux mois plus tard il a appris que sa mère était atteinte d'une leucémie chronique, et qu'elle est décédée peu après, son jogging a pris une nouvelle dimension. Il s'est mis à courir beau temps, mauvais temps, quelles que soient sa fatigue ou son humeur. Il jugeait que ses difficultés étaient insignifiantes par rapport à ce qu'avait enduré sa mère. Pendant un an et demi, ses efforts physiques lui ont permis, en quelque sorte, de se rapprocher d'elle. Le jogging l'a aidé à faire son deuil. C'était un « véritable exutoire ». Maintenant, il court pour le simple plaisir que ça lui procure.

Enfin, c'est dans le jogging que Marie a choisi de « noyer son chagrin d'amour », précise Stéphane Cascua. Courir lui permettait de tenir le coup, de ne pas rester « figée dans sa peine ». Elle avait le sentiment de reprendre un peu le contrôle de sa vie ; la course l'obligeait à respirer à pleins poumons et ainsi, à lutter contre la souffrance qui lui « coupait le souffle ». Après s'y être adonnée, elle était détendue. « Sans le savoir, dit-il enfin, Marie a troqué les endorphines sécrétées par l'état amoureux contre celles issues du sport. »

Je vais dire une chose surprenante : la plupart des gens dépressifs ou anxieux qui font de l'exercice s'en tirent mieux que ceux qui suivent une thérapie ! Que diriez-vous si votre médecin vous laissait le choix entre un antidépresseur, un anxiolytique ou... l'exercice physique ? Qu'il ajoutait que l'exercice vous apportera la forme, la sérénité, une plus belle silhouette et vous redonnera le goût à la vie, sans aucun effet secondaire ? Au Centre hospitalier universitaire vaudois de Lausanne, en Suisse, les médecins proposent aux patients de combiner l'exercice aux antidépresseurs. Dans les cas de dépression légère, on leur dit que *seul* le premier est nécessaire. Or, un an plus tard, le taux de rechute est nettement plus faible chez ceux qui s'entraînent sans médication.

C'est vraiment curieux ! Pour prévenir une rechute, l'exercice est quatre fois plus efficace que la combinaison exercice-médicament. Selon James Blumenthal, psychologue et docteur à l'Université Duke en Caroline du Nord, cela s'explique par le fait que les gens doivent assumer un rôle actif dans leur rétablissement. Ils ont le sentiment d'accomplir quelque chose par eux-mêmes. Comme ils se sentent mieux et sont fiers d'eux, ils ont tendance à faire encore plus d'exercice, ce qui contribue à leur mieux-être. En fin de compte, d'après lui, les risques les plus importants de rechute sont ceux qui découlent d'une interruption de l'exercice à cause d'une blessure ou d'une maladie.

L'exercice rend brillant

L'exercice physique contribue au retour à la santé et donne un sens à la vie. Plus incroyable encore, il rend brillant ! Dans un article publié récemment dans le *New York Times,* le journaliste scientifique Dan Hurley a surpris tout le monde en faisant savoir qu'il y a une façon plus simple de devenir intelligent que de travailler ses méninges. Les neuroscientifiques et les physiologistes, dit-il, ont fait la preuve qu'on y arrive mieux en s'entraînant physiquement qu'en passant par ce qu'on appelle la « gymnastique mentale » !

Comment l'exercice physique rend-il brillant? Le cerveau est comme les autres muscles du corps, c'est un tissu et ses capacités déclinent avec l'âge. Le cerveau vieillit prématurément quand on cesse de l'utiliser. Quand nous restons immobiles trop longtemps, notre cerveau « s'éteint comme un commutateur », selon l'expression de l'homme d'affaires Eugene O'Kelly, dont je parlerai au prochain chapitre. Or, l'exercice physique ralentirait ou renverserait cette forme de déclin.

Cette découverte, nous la devons aux pauvres souris de laboratoire qui bossent dur pour nous! En les observant, on a constaté que leur cerveau produit deux fois plus de nouvelles cellules quand elles s'entraînent pendant quelques semaines. Le professeur de psychologie Justin Rhodes, de l'Institut Beckman de l'Université d'Illinois, a comparé des souris qui faisaient de l'exercice à d'autres qui étaient sédentaires. Voici l'expérience qu'il a réalisée.

Il a formé quatre groupes de souris. Le premier groupe a été mis dans une cage de luxe, colorée et pleine de plaisirs gustatifs, avec des miroirs, des tunnels, des balles pour jouer, un vrai terrain de jeu! Il a placé un deuxième groupe dans une cage qui contenait tout ça, et y a ajouté une roue d'exercice. Un troisième groupe était dans un espace muni d'une roue, avec de la nourriture sèche, mais aucun mets savoureux ni aucun jouet. Enfin, le quatrième groupe vivait dans un endroit terne, sans comparaison avec les précédents, mais les souris recevaient de la nourriture sèche.

Pensez-vous que la cage de luxe a fait une différence? Eh bien, elle n'a pas eu autant d'effet sur le cerveau des souris que les cages qui contenaient une roue d'exercice! Les souris qui ont le plus progressé intellectuellement sont celles qui s'exerçaient sur cette roue. Même celles qui n'avaient qu'une roue et de la nourriture sèche ont mieux performé aux tests cognitifs que les souris hautement stimulées par la cage « tout inclus ».

Un environnement qui permet de faire de l'exercice physique est plus stimulant intellectuellement qu'une formule « tout inclus» qui fournit les livres et équipements éducatifs les plus sophistiqués. Il y a de quoi réfléchir à l'hyperstimulation intellectuelle que nous offrons à nos enfants et à l'importance de l'exercice sur leurs facultés intellectuelles. D'après les conclusions de cette étude, et si on voulait extrapoler un peu, les enfants auraient avantage à se *défouler* dans la cour d'école ou le gymnase plutôt que de passer tout leur temps le nez dans leurs cahiers! Et nous devrions faire du tapis roulant pour avoir plus de chances de remporter nos parties de Scrabble ou performer au travail!

«Remuons»
nos méninges!

Plus jeune grâce à l'activité physique

L'exercice peut-il aider les personnes âgées à conserver leur vivacité d'esprit? Bien que la grande majorité de nos neurones soient formés à la naissance, il semble que l'exercice produit une substance qui favorise la croissance de nouveaux neurones. Après une séance d'entraînement intense, on retrouve un taux plus élevé de cette substance dans les régions de l'apprentissage et de la mémoire. Cette découverte faite par l'expert américain en gériatrie John Morley vaut même pour les gens atteints de la maladie d'Alzheimer.

On a observé des changements chez des personnes âgées qui s'entraînaient à lever des poids, qui couraient, qui marchaient. Après un an, leur cerveau pouvait rajeunir de deux ans, simplement en marchant! Ce phénomène fait penser au film fantastique américain *L'étrange histoire de Benjamin Button*, et au malheureux destin du héros! Avouons que, s'il serait détestable de retourner en enfance au point d'être dépendant des autres pour répondre à nos besoins élémentaires, quelques années en moins se prendraient tout de même bien.

N'empêche qu'on ne peut passer tout son temps à « se démener comme un malade », comme le dit l'expression. Il faut se reposer, sans quoi nous brûlons la chandelle par les deux bouts. La recette consiste donc à muscler nos cellules grâce à l'exercice et à leur permettre de récupérer grâce au repos.

L'exercice rend les cellules plus « musclées ».

Le repos n'est toutefois pas synonyme d'inertie. Il ne s'agit pas de rester le derrière plaqué à la chaise en attendant que la santé survienne. Répétons-le, un bon équilibre entre l'action et la détente est la clé du rétablissement. Si, par bonheur, nous avons la santé et la forme, il devrait être moins pénible de se lever et de bouger un peu. Mais même fatigué, on devrait sortir pour prendre l'air. L'exercice physique, adapté à notre état — en commençant en douceur, sans se laisser aveugler par l'orgueil —, est la recette pour éviter de laisser notre corps ramollir comme une chiffe et notre cerveau se dessécher comme un raisin sec !

Enfin, j'insiste, pour combattre la déprime, se mettre en mouvement est l'ingrédient n° 1. Les gens souffrant de dépression, tout comme ceux qui font de l'anxiété, peuvent profiter de ce remède naturel. Dans mon métier, je constate que plusieurs troubles psychologiques sont le résultat d'une vie apathique où, paradoxalement, l'esprit est trop investi. L'exercice désamorce le disque de pensées qui tourne sans relâche dans la tête, il ramène notre attention à nos sensations physiques. La pratique régulière d'un sport ou d'une activité de plein air nous aide à être considérablement plus épanouis, toute l'année durant.

Utilisez votre créativité pour bouger

Bien sûr, vous pouvez courir un marathon si votre forme physique le permet. Autrement, vous pouvez vous donner un défi qui est davantage à votre mesure. Vous pouvez vous inscrire à un cours de karaté, fréquenter un centre de conditionnement, faire une partie hebdomadaire de tennis. Vous pouvez partir en expédition dans des sentiers pédestres, grimper des montagnes, traverser un lac à la nage, ou faire un grand tour à vélo. Toutefois, si vous accomplissez l'équivalent d'une marche rapide de trente minutes par jour, tout en gardant le plaisir en tête, vous réussirez à maintenir votre forme.

De nos jours, les villes et les écoles offrent tant d'activités physiques qu'il est impossible de ne pas en trouver qui conviennent à vos goûts et à votre condition. Vous pouvez aussi laisser libre cours à votre créativité...

- Fermez les rideaux, mettez une musique entraînante et dansez sans retenue, seul ou avec vos complices du quotidien.
- Adoptez un chien et promettez-lui de le promener une ou deux fois par jour, beau temps, mauvais temps.
- Ne renouvelez pas le contrat de tonte du gazon ou celui de déneigement. Prenez-le en main!
- Déclarez «la journée de l'exercice» une fois par semaine ou par mois et encouragez vos proches à y participer.
- Trouvez une destination à moins de cinq kilomètres et prenez le vélo, plutôt que la voiture, pour vous y rendre.
- Organisez une partie de hockey, de football ou de basket, ou planifiez une activité de plein air en famille ou entre amis.
- Lancez un projet intitulé «Remplaçons le café par une marche», dans votre milieu de travail.

- Rêvez à un voyage sur le chemin de Compostelle ou à un trek dans les Alpes et… réalisez-le!
- Éteignez le téléviseur, ce soir, et, à la place, faites une marche sous les étoiles.
- Retrouvez les plaisirs d'antan: jouez à chat perché (ou à la *tag*, comme on dit au Québec), partez en camping, faites voler un cerf-volant…
- Ramassez les feuilles l'automne, cordez du bois, construisez une cabane dans un arbre…
- Ajoutez vos idées…

Pense-bête pour les increvables

Bouger nous remet d'aplomb.

Soyons le héros de notre santé !

Quand nous sommes rouillés,
l'exercice huile nos articulations.

Un, deux, trois… go ! Cessons de nous poser trop
de questions et remuons-nous, tout simplement !

Marchons plutôt que de prendre un café.

Ne soyons pas aussi exigeants dans le sport
comme au travail.

Gardons le plaisir en tête.

« Remuons » nos méninges !

À bas la déprime et l'anxiété grâce au mouvement !

Musclons les cellules de notre cerveau
avec l'exercice physique.

CHAPITRE 8
Les fervents

L e jeune Australien Ian Gawler venait de terminer ses études en médecine vétérinaire. Il allait entreprendre la carrière dont il rêvait. Seulement, il n'a pas eu beaucoup d'occasions de soigner ses animaux préférés, les chevaux, puisque l'année suivante, il était atteint d'un cancer virulent des os, avec métastases. Sa maladie étant trop avancée, il n'a pas pu éviter l'amputation de sa jambe droite. Il avait 26 ans et les docteurs ne lui laissaient que quelques semaines à vivre.

Après l'opération, il a eu la bonne fortune de rencontrer une psychiatre reconnue pour sa capacité de réduire le stress par l'hypnose. Suivant ses conseils, sans toutefois négliger les traitements de chimiothérapie et de radiothérapie, il s'est mis sur la piste de l'introspection. Il a appris à mieux se connaître et à exprimer ses chagrins et ses colères.

Cinquante ans plus tard, le septuagénaire australien rapporte qu'au moment où il a appris que ses semaines étaient comptées, et que la mort allait lui retirer toutes les merveilleuses possibilités qui se dessinaient devant lui, il

Plus nous prenons conscience de notre mort, plus nous avons envie de vivre.

a découvert du même coup combien son envie de vivre était forte.

L'idée de la mort ravive abruptement notre ferveur de vivre. Néanmoins, il y a quelque chose d'irréel dans cette idée que nous allons mourir. Chacun de nous s'imagine être immortel. C'est logique jusqu'à un certain point, puisque lorsque nous disparaîtrons, nous ne le saurons pas. Nous ne serons pas sur terre pour en prendre conscience. Alors, à quoi bon exister avec la peur de mourir?

Êtes-vous de ceux qui croient que lorsqu'on est plongé dans un état critique — lorsqu'on se fait dire qu'il n'y a plus rien à faire pour sauver notre peau —, on doit accepter notre mort? En vérité, bien que de grands affligés puissent la voir comme une délivrance, en particulier après avoir mené un long combat contre la maladie, généralement, on préfère demeurer en vie.

Selon la psychologue et auteur québécoise Josée Savard, un grand nombre de patients en phase terminale refusent d'envisager l'étape ultime. Ils refusent de rendre l'âme pour toutes sortes de raisons. Parce qu'ils sont dans la fleur de l'âge ou l'âge d'or, parce qu'ils doivent s'occuper de leur famille ou gâter une ribambelle de petits-enfants, parce qu'ils souhaitent mener à terme leur vie professionnelle ou profiter enfin de leur retraite… parce que cela arrive toujours à un très mauvais moment!

Qui se sent prêt à mourir? Très peu d'entre nous. Les gens qui consentent au sacrifice final sont rares; la plupart luttent pour survivre. Certains se débattent avec une telle frénésie qu'ils se transforment en coureurs de fond qui entreprendraient leur premier tour de piste, à toute vitesse, et tomberaient d'épuisement avant le fil d'arrivée. L'idée n'est donc pas de s'abandonner à la mort, ni de perdre ses forces à se battre contre elle. L'idée est de *s'abandonner à la vie*, passionnément, de «vivre chaque jour de notre vie», comme l'écrivait Jonathan Swift.

La leçon d'Eugene O'Kelly

Au moment où Eugene O'Kelly a compris qu'il n'y aurait pas de suite au feuilleton de sa vie, il a pris une décision. Il allait vivre sa *mort* aussi bien, sinon mieux, qu'il avait vécu sa *vie*.

Eugene O'Kelly travaillait dans un cabinet-conseil en fiscalité américaine. Il en était le chef de direction et menait une vie de *jet-set*. Un jour, son médecin lui a fait comprendre que les symptômes pour lesquels il le consultait étaient causés par une tumeur maligne au cerveau. Or, il s'agissait d'un type de cancer qui s'étend dans le crâne et dont la tumeur peut devenir énorme avant que les maux apparaissent. Les migraines qu'il éprouvait, les troubles de la vue et les difficultés à se mouvoir et à se concentrer signifiaient qu'il était déjà trop tard. La tumeur s'avérait inopérable. À ces symptômes qui allaient empirer s'ajouteraient des problèmes de mémoire et un changement de personnalité.

Assommé par ce verdict, l'homme d'affaires s'est dit, toutefois, qu'il savait à quoi s'en tenir. La chimiothérapie ne le sauverait pas, lui avait-on confirmé, mais elle pourrait prolonger son temps. Par contre, elle aurait un effet toxique sur son organisme. Il a essayé la médication recommandée assez longtemps pour réaliser qu'elle affectait son foie et ses reins. De plus, il avait des nausées terribles. Surtout, la chimiothérapie interférait avec quelque chose qu'il jugeait primordial... Les traitements l'affaiblissaient en effet au point qu'il n'avait plus l'énergie pour prendre en main son propre travail de visualisation sur son bien-être. Après trois traitements, il y a mis un terme.

Selon les calculs, il ne lui restait à peine que cent jours à vivre. Qu'allait-il faire? Eugene O'Kelly avait toujours vécu à toute allure, se dévouant totalement à son emploi; il l'a quitté sur-le-champ. Puis, il s'est assis à la table de sa salle à manger et a écrit la liste de ce qu'il voulait réaliser avant de mourir:

- Mettre de l'ordre dans mes affaires légales et financières
- Revoir mes amis
- Simplifier ma vie
- Vivre le moment présent
- Créer et accueillir de grands moments, des «moments parfaits»
- Commencer ma transition vers la prochaine étape
- Préparer mes funérailles

La vie nous fait un « cadeau »

«Nous vivons notre vie, écrivait Eugene O'Kelly, comme si elle n'allait jamais se terminer.» Lorsqu'il a été confronté au verdict «il ne vous reste que cent jours à vivre», vous savez ce qu'il s'est dit? Que la vie lui faisait un «cadeau»! Celui de pouvoir préparer sa mort. Elle lui laissait un sursis pour réaliser ses derniers désirs.

Cet homme était vraiment positif! Remarquez que d'autres n'ont pas toujours le temps de bien mourir, ils sont trop malades pour en profiter ou ils meurent accidentellement. Voilà quelques années, une étudiante de mon équipe de recherche a péri dans un accident de voiture. Un matin d'hiver, Mélanie a perdu la maîtrise de sa voiture avant de heurter un camion, d'emboutir un garde-fou et d'effectuer des tonneaux. Elle est décédée sur le coup. Cet ange aux yeux bleus brillants et au sourire candide allait avoir une belle carrière, faire son nid dans la maison qu'elle s'était achetée avec son copain, planter des fleurs, avoir des enfants… Jamais je n'aurais pu concevoir qu'elle nous quitte d'une façon aussi soudaine et injuste.

Avez-vous perdu un être cher quand vous ne vous y attendiez pas? Parfois, la vie est impitoyable. Elle nous arrache les gens que nous aimons, sans crier gare. Comme une visiteuse impromptue, elle cogne à notre porte et nous surprend aux moments les plus inattendus. Ce n'est pas pour être rabat-joie, mais nous pouvons mourir, comme la belle Mélanie, sans avoir fait un jardin, sans avoir vu grandir nos enfants, sans avoir connu le jour suivant...

Il m'arrive d'imaginer comment ce serait si on me disait que j'allais mourir le lendemain. Je me demande quels seraient mes derniers souhaits. Vous êtes-vous déjà amusé à ce jeu ? On se met en mode « urgence de vivre » et on s'imagine aller au bout de ses rêves. Le plus souvent, nous baignons dans l'illusion que la mort est réservée aux autres ! Il est rare que nous envisagions la fin sé-rieusement, sauf évidemment quand elle nous touche de très près. Parfois, elle laisse ses empreintes, comme pour nous dire qu'elle peut nous aspirer dans son tourbillon, comme bon lui semble.

Profitons du cadeau de la vie, celui de vivre un autre jour, puis un autre.

J'ai rencontré Michel à quelques occasions. Avant son acci-dent, c'était un gaillard athlétique, un conjoint et le père d'un jeune bambin, avec une vie familiale ordinaire. Pour célébrer son 30e anniversaire, ses amis se sont réunis dans l'arrière-cour de la maison de sa belle-famille. Comme les jeunes gens de leur âge, ils ont décidé de plaisanter un peu ; ils ont lancé Michel tout habillé dans la piscine. Celui-ci a plongé dans l'eau et est remonté à la surface, immobile, les membres pendants comme une pou-pée de chiffon. Michel faisait le mort pour taquiner ses amis. Du moins, c'est ce que ceux-ci pensaient. Au bout d'une ou de deux minutes, le pantin Michel ne réagissait toujours pas. Ce n'était pas une blague ! Sa tête avait cogné le fond du bassin. Michel a été réanimé, mais depuis ce triste événement, il est pa-raplégique. Le choc a brisé sa colonne et il a perdu l'usage de ses jambes. Son fils n'a aucun souvenir de lui... debout.

La vie nous donne un cadeau, paraît-il ! Celui de vivre un autre jour, un jour à peu près normal. Michel a obtenu un nouvel emploi dans l'entreprise pour laquelle il exerçait le métier de technicien industriel. Dorénavant, son travail consiste à distribuer les tâches aux employés. Il s'est procuré une voiture adaptée. Il aborde sa vie sous un autre angle, rivé en permanence au fauteuil qui remplace ses jambes. Son cadeau : être vivant !

Maître à bord de sa vie

Vous avez le sentiment de contrôler votre existence ? La maladie ou un accident bête peut vous le retirer, à n'importe quel moment. À un tournant de son parcours, un grand malade peut perdre les commandes de son corps. Il peut perdre sa capacité de faire des gestes simples ou d'assumer ses responsabilités parentales et de faire sa marque professionnellement. Par ailleurs, le choix de survivre, en sachant qu'on est au pied du mur, commence par une décision capitale, celle de reprendre le contrôle sur sa destinée. Cette décision est d'autant plus déterminante qu'un malade ou une personne handicapée a l'impression justement que sa destinée lui échappe.

On ne réagit pas tous de la même façon quand l'adversité frappe. Eugene O'Kelly raconte que lorsqu'un de ses amis a fait une crise cardiaque, on lui a permis de marcher après trois jours. Il était autorisé à faire vingt-cinq pas, puis il devait se reposer jusqu'au jour suivant. Ce qu'il a fait... le premier jour. Puis, il a voulu faire vingt-cinq autres pas. Bientôt, il marchait quatre fois par jour. Au cours de l'une de ses tournées dans les corridors, il a remarqué que, dans une chambre voisine, des patients ayant souffert du même trouble avaient l'air plus mal en point que lui. Il s'est informé de leur condition auprès de l'infirmière, qui lui a répondu : « Monsieur, votre cas était bien pire ! »

Tout est dans la perception qu'on a de la maladie. Des patients très mal en point peuvent se percevoir comme des victimes, tandis que d'autres tentent activement de prendre du mieux. Selon Alastair Cunningham et Claire Edmonds, chercheuses à l'Institut du cancer de l'Ontario, au Canada, ceux qui deviennent maîtres de leur existence, c'est-à-dire qui manifestent un désir de voir leur état s'améliorer, mais qui vont plus loin en agissant réellement sur leur quotidien, ont un meilleur taux de rétablissement et de survie que les autres.

Chacun peut devenir le maître à bord de sa vie.

Revivre après une tragédie

Est-ce qu'une personne doit renoncer au reste de ses jours pour la raison qu'il lui en reste trop *peu*? C'est comme se demander si l'on doit se laisser emporter par le découragement et cesser toutes nos activités parce qu'on a subi un seul grand échec ou commis une grave erreur. Quand on devient les maîtres à bord, on décide au contraire de se relever après une chute. Il faut faire de grands efforts pour revivre après une tragédie, évidemment, mais parfois, on réussit même à se sentir encore plus hardi qu'avant. Les *fervents* qui ont dépassé les épreuves savent que lorsque la vie ne tient qu'à un fil, le mieux est encore de tenir celui-ci fermement!

On peut être dans un lit d'hôpital et se sentir libre, affirme le psychanalyste québécois Guy Corneau, le jour où l'on comprend que ce qui nous guérira viendra notamment de l'intérieur de soi. Cette leçon, Eugene O'Kelly l'a comprise lorsqu'il a été placé devant une alternative déchirante au sujet des traitements qu'on lui proposait. Il pensait que les effets invasifs des traitements allaient être un fardeau énorme, et il vivait cette invasion comme une perte de contrôle. Il reconnaissait qu'il avait justement toujours aimé avoir le contrôle sur ses affaires. Il vivait toutefois un dilemme. La médication pouvait lui apporter plus de temps de vie. Il préféra vivre *mieux* que plus *longtemps*. Plus que le fait de quitter son emploi, Eugene O'Kelly considérait que la reprise en main de ses derniers jours avait été son premier vrai choix personnel depuis l'annonce de son cancer.

Personne, ni vous ni moi, n'a à se priver de traitements qui peuvent le sauver, même s'ils ont des effets secondaires dérangeants. Mais l'issue de notre situation ne dépend pas *que* des traitements, ou de la grâce d'un être supérieur, ni même du hasard ; il dépend en grande partie de nous. La maladie nous donne l'occasion ou jamais de nous engager dans la reconstruction de notre santé et de notre bonheur. Cela peut aller jusqu'à donner un nouveau sens à notre existence. Elle peut être un tremplin pour reprendre en main notre bonheur, mais aussi un domaine de notre vie dans lequel nous nous sommes peut-être perdus au fil des ans : études ou travail, relations conjugales ou familiales, amitiés, temps libres, alimentation, condition physique...

Le futur n'existe pas

Quelque temps après l'annonce de son cancer, Eugene O'Kelly s'est demandé ce qui se serait passé s'il n'avait pas su qu'il lui restait cent jours à vivre. Rien de différent, répond-il. Sa vie serait encore la même. Il aurait planifié son prochain voyage d'affaires en Asie. Il serait resté sur le qui-vive, aux aguets de possibilités de succès pour son entreprise.

Cette vie intense lui donnait l'impression de vivre dans le présent, mais en réalité, il était toujours occupé à prévoir ce qui allait advenir plus tard. Avant de s'endormir, il avait l'habitude de programmer le calendrier de ses activités des mois et des années à venir. Après son diagnostic, avant de s'endormir, il ne pensait qu'au lendemain, car le futur n'existait plus. Pour nous aussi, le futur n'existe pas, du moins, il n'existe pas *encore*. Seul le présent est là, dans nos mains, prêt à être saisi.

Eugene O'Kelly aimait son travail. Il adorait être dans l'action, il carburait aux défis colossaux et au sentiment d'accomplissement qu'il lui procurait. Son patron l'appelait au milieu de la nuit pour lui présenter une occasion d'affaires et, au matin, il se rendait au bout du monde. Un jour, il a pris l'avion de New York à Sydney, vingt-deux heures de vol, pour rencontrer un homme fort occupé. Quatre-vingt-dix minutes plus tard, il reprenait un vol pour New York avec un contrat en poche! Il travaillait tout le temps, la semaine et le week-end, le jour et la nuit. Ses vacances étaient ponctuées de réunions professionnelles. Il vivait à toute vitesse. Mais la maladie lui a apporté son propre rythme; elle avait le pied moins pesant sur la pédale!

On peut avoir passé sa vie à courir après la reconnaissance, mais être «passé à côté de soi», écrivait Guy Corneau, au sujet de sa propre expérience de la maladie. La mort vient nous révéler ce qu'on a occulté et qui, à ce moment, demande qu'on s'en occupe.

Vivre une semaine dans un jour

Aimez-vous votre travail au plus haut point ou menez-vous une vie de *jet-set*? Votre carrière vous vole-t-elle trop d'heures? Ne vous reste-t-il rien de mieux qu'une vie de famille en itinérance? Avez-vous l'impression de vivre en parallèle, à côté de vous-même? Serait-il sage de donner une nouvelle orientation à votre vie?

Pour un malade, le temps qui lui reste, c'est de l'or. Il ne le gaspille pas! Comme de l'argent en banque, nous souhaitons l'épargner, mais le temps ne fait que filer. Guy Corneau faisait remarquer qu'il est fantastique d'avoir du «temps que nous prenons en ayant l'impression de le perdre». Avant d'être touché par la maladie, il avait «l'impression d'avoir

> À tout moment, nous pouvons donner une nouvelle direction à notre existence.

peu de temps pour faire beaucoup de choses », maintenant, il lui semble « avoir beaucoup de temps pour faire peu de choses ».

Quand le compteur est démarré, notre approche du temps change. Chaque moment est envisagé avec profondeur. On vit une réalité qui nous semble étrange, car il n'y a plus de futur possible. La seule chose dont nous disposons est le *présent*. Le Dalaï-Lama a dit un jour que ce qui le surprend le plus chez l'humain, c'est son anxiété au sujet du futur et son incapacité à profiter du moment présent. Le résultat est qu'il ne vit jamais le moment présent et meurt en n'ayant pas connu le futur.

Ne tombons pas dans le piège contre lequel le Dalaï-Lama nous met en garde. Si une maladie sérieuse survenait, nous ne vivrions que le présent, puisque c'est tout ce qui nous resterait. La réalité nous obligerait à nous concentrer sur ce que nous faisons pendant que nous le faisons. On vivrait le moment présent comme si c'était… le dernier.

Si l'on essayait ? Si l'on partageait des moments, avec notre amoureux, nos enfants, nos amis… comme s'ils étaient les derniers ? Si l'on faisait comme le suggère Guy Corneau et qu'on entrait « réellement dans un instant », alors il aurait « le goût de l'éternité ». Pour sa part, Eugene O'Kelly, qui avait troqué une vie semblable à un torrent contre une rivière tranquille, nous invitait à en découvrir tous les bénéfices. Lui-même avait pris conscience qu'à se centrer sur le moment présent, on réussit à vivre « une semaine dans un jour, un mois dans une semaine, un an dans un mois ».

Les choses simples

Niro Markoff Asistent, cette femme atteinte du sida dont j'ai parlé plus tôt, avait reçu un genre d'ultimatum : elle n'aurait pas plus de dix-huit mois à vivre… si elle avait de la chance. Elle acceptait le fait qu'elle allait mourir ; être consciente de sa finitude modifiait totalement sa façon de considérer son existence.

Chaque jour représentait une richesse qu'elle ne pouvait flamber. Elle refusait notamment d'être en colère contre sa situation ou anxieuse devant l'inconnu, parce qu'elle considérait que c'était du «temps perdu».

Elle s'est mise à aspirer à une vie simple. Elle a décidé de ne manger que des aliments sains et de n'entrer en relation qu'avec les gens qu'elle aimait. Elle a laissé tomber tout ce qui était superficiel et a choisi de ne pas dépenser son énergie à faire quoi que ce soit qui n'avait de sens pour elle. Après un mois de cette vie sans artifice, les premiers symptômes ont commencé à disparaître. Ses forces revenaient et elle les consacrait à profiter de l'essentiel, au maximum. Plus tard, son test s'est révélé définitivement négatif; c'en était fini de sa maladie.

Ensuite, Niro a rencontré des personnes qui ont appris, comme elle, que lorsqu'on est très malade, il faut peu de choses pour être heureux. L'expression populaire anglaise «*less is more*», qui signifie «moins nous en avons, mieux c'est», s'accorde bien à ces circonstances. Quand les nausées nous prennent de manière imprévue et que nos forces diminuent, tout ce qu'on désire, ce sont des choses simples. La simplicité nous aide à maintenir le cap sur ce qui est prioritaire plutôt que sur des futilités, si attirantes soient-elles.

Lorsque nous oublions que nous allons mourir, nous avons tendance à en désirer *toujours* plus. Mais quand en aurons-nous assez? Quand serons-nous satisfaits de ce que nous possédons? de ce que nous sommes? Jamais. Tenons-nous vraiment à tout ce que nous avons accumulé: la fortune qui dort dans notre compte en banque; les beaux objets qui ramassent la poussière; les gens que nous fréquentons mais qui ne sont pas de vrais amis; les vêtements chics qui ne nous ressemblent guère?

Préférons les choses simples.

Garder l'espoir jusqu'au bout

En vérité, il y a une seule chose que nous devrions chérir plus que tout et jusqu'à la fin de notre existence. Cette chose se révèle avec la légende de Pandore, dans la mythologie grecque. On y raconte que Zeus, le roi des dieux, avait confié une boîte à une très belle femme ayant tous les dons. Dans cette boîte étaient emprisonnés les maux et les souffrances du monde. Cette déesse avait promis de ne jamais l'ouvrir. Or, la curiosité étant trop forte, elle a cédé à la tentation et l'a ouverte. Du coup, les maux se sont échappés et ont commencé à errer sur la terre. C'est ainsi que sont apparus la maladie, la guerre, la famine, la misère, la vieillesse, la folie, la tromperie, le vice et la passion. La déesse a refermé la boîte juste à temps pour garder emprisonnée une dernière chose. C'était l'espoir, qui est demeuré éternellement dans la boîte pour réconforter les humains dans leur malheur.

La légende de Pandore rappelle que cette chose que nous devons garder n'a rien à voir avec nos biens matériels. L'espoir n'est pas non plus une attitude raisonnable, ni même ridicule, écrit le psychiatre américain George Vaillant, professeur à l'école de médecine de Harvard. C'est la conviction profonde et viscérale que demain, *quelque chose* ira mieux.

Malgré la gravité de sa maladie, David Servan-Schreiber écrivait qu'il vivait encore de l'espoir que ses symptômes allaient se résorber. Il nourrissait sa vie intérieure, renforçait ses muscles, calmait ses maux et restait dans la sérénité. Il gardait un contact avec les gens qu'il aimait et focalisait sur ce qui lui procurait du plaisir. Il cultivait toutes ces sources d'espoir qui lui donnaient envie de vivre jusqu'à demain. Car, croyait-il, « quand on n'a plus d'espoir, tout s'arrête... jusqu'à l'envie de vivre ».

Gardons toujours l'espoir que demain, quelque chose peut aller mieux.

Une collègue qui travaille en oncologie me disait qu'il ne faut jamais enlever l'espoir à un patient, même aux derniers moments. Bien sûr, il y a des situations de non-retour qui représentent une limite infranchissable. Il arrive que les meilleurs jours soient derrière nous. Même dans ces situations, chacun peut espérer quelque chose.

Il ne s'agit pas de croire au père Noël! Il ne s'agit pas non plus de servir de pieux mensonges, mais d'anticiper qu'une bonne journée soit encore possible. Ce faisant, nous mettons nos émotions au service de notre mieux-être. Les recherches menées par Norman Cousins ont prouvé scientifiquement que l'état de sérénité qui vient avec l'espoir n'est pas seulement un état émotionnel; il permet entre autres d'activer la sécrétion d'hormones qui renforcent le système immunitaire.

À ce sujet, on raconte une anecdote par rapport à un traitement pour le moins original, mais efficace! Deux oncologues avaient obtenu des résultats très différents de leur traitement sur le cancer du poumon avec métastases. Chacun utilisait les mêmes médicaments et les mêmes dosages, pourtant l'un d'eux obtenait trois fois plus de succès. Son collègue lui a demandé comment il s'y prenait. Celui-ci lui a fait remarquer que les premières lettres des médicaments qu'ils utilisaient, placées bout à bout, formaient le mot espoir (en anglais, *h.o.p.e.*). «Je dis à mes patients que je leur donne de l'espoir, a-t-il expliqué. Bien sûr, je leur dis que c'est expérimental et nous examinons la longue liste des effets secondaires, mais je mets l'accent sur le fait qu'ils ont une chance de s'en sortir.»

La lumière au bout du tunnel

C'est l'espoir dont il est question dans le best-seller de Viktor Frankl, *Découvrir un sens à sa vie*. Le neurologue et psychiatre autrichien y relate les récits de prisonniers juifs qui ont survécu à l'enfer des camps nazis. Le désespoir est au contraire ce qui a poussé plusieurs autres compagnons de camp à succomber à la torture. À la limite, le fait de savoir que l'on est devant une impasse n'a pas d'importance... Vicktor Flankl et les prisonniers juifs pouvaient-ils espérer survivre aux conditions horribles auxquelles ils étaient soumis ? Non. Pourtant, certains ont réussi. Ils ont cru en leur libération et cette profonde conviction leur a permis de tenir le coup très longtemps. Puis, la guerre s'est terminée et leur vie a heureusement été épargnée.

J'ai déjà relaté[2] cette expérience morbide réalisée par des étudiants en psychologie, mais elle est tellement à propos que je la rappelle ici. Des étudiants avaient construit un grand aquarium plein d'eau, et rien d'autre, dans un laboratoire totalement obscur. Ils avaient ensuite mis une souris dans l'aquarium et l'avaient laissée nager jusqu'à l'épuisement. Les étudiants voulaient observer le temps qu'il lui faudrait pour renoncer ! Ils ont refait l'expérience plusieurs fois. Chaque souris nageait en moyenne trois minutes, puis se décourageait et finissait par se noyer. Ensuite, les étudiants ont tenté une autre expérience. Ils ont ouvert les néons dans la pièce et ils ont mis d'autres souris dans l'aquarium. Celles-ci ont nagé en moyenne trente-six heures, c'est-à-dire qu'elles ont déployé trois mille fois plus d'énergie que celles qui avaient été plongées dans l'obscurité.

L'espoir agit comme une lumière au bout du tunnel.

La lumière au bout du tunnel ne peut sauver de pauvres souris d'un aquarium plein d'eau, ni nous épargner l'inévitable, mais elle donne envie de se battre. Quand on ne connaît pas l'aboutissement de nos souffrances, ce qui importe est de raviver l'espoir que quelque chose de bien surviendra. Cet espoir donne un sens à l'absurde ou à une situation intolérable. Alors, on tient bon, on s'entête, on ne lâche pas. Et qui sait ce qui peut se passer durant ce temps ?

---

2. Dans mon livre *Soyez heureux sans effort, sans douleur, sans vous casser la tête*, Montréal, Les Éditions de l'Homme, 2012.

Parfois, ce qui donne accès à l'espoir est d'avoir fait l'expérience d'une situation où l'on a trouvé une porte de sortie. Voilà ce qu'on a voulu démontrer lors d'une autre expérience en laboratoire. Dans celle-ci, des souris étaient abandonnées à leur sort ; elles allaient se noyer, mais étaient sauvées juste à temps. La recherche concluait que, la fois suivante, ces souris allaient nager beaucoup plus longtemps avant d'abandonner que celles qui n'avaient jamais connu l'expérience initiale.

Désolée pour la comparaison, mais il arrive que nous réagissions comme ces souris. Lorsque nous faisons l'expérience d'une issue positive à une situation extrêmement difficile, cela nous donne le sentiment d'exercer un pouvoir sur nos conditions. Ce sentiment, à son tour, fait la différence entre se laisser décourager devant de nouvelles épreuves et persévérer, et peut-être réussir à en venir à bout.

Vivre tant qu'on est vivant

La psychologue québécoise Josée Savard raconte qu'un patient avait reçu un diagnostic de cancer du poumon dont le pronostic était assez mauvais. Cette nouvelle avait été un grand choc pour lui. Puisqu'il allait mourir bientôt, il a décidé de « vivre sans attendre quoi que ce soit de la vie », comme l'écrit la psychologue. Peu à peu, il a diminué considérablement ses activités et réduit la fréquence à laquelle il voyait ses amis, même ses enfants. Il attendait la mort, mais sept ans plus tard, celle-ci n'était toujours pas venue le chercher.

« N'est-il pas extrêmement dommage, écrit-elle, que ce patient ait consacré, sinon gaspillé, sept ans de sa vie à attendre la mort ? » Les pronostics sont une *estimation* et, comme on l'a vu, on peut se trouver à l'extrémité de la courbe normale, avec ceux qui survivent contre toute attente. « Du reste, il y a une leçon évidente à tirer de cet exemple, ajoute Josée Savard, il faut continuer à vivre tant que l'on est vivant ! »

Connaissez-vous des gens qui, comme ce patient, gaspillent leur vie dans l'attente ? La gâchent parce que quelque chose n'est pas encore advenu ? Ils se retiennent de s'épanouir pleinement avant de trouver l'âme sœur, d'aménager une maison à leur goût, de régler un problème, de prendre leur retraite... Les grands malades, eux, découvrent que la vie vaut la peine d'être vécue. Parce qu'il leur en reste moins, ils n'attendent rien.

N'attendons rien, provoquons ce que nous désirons !

La psychologue argentine Évelyne Bissone Jeufroy relate une anecdote au sujet d'une consultation auprès d'une femme atteinte du cancer du sein. La thérapeute qui la recevait lui proposa d'exprimer « un désir un peu extravagant ». Lorsque la cliente lui a répondu qu'elle aimerait voyager en Égypte, celle-ci lui a demandé à quel moment et avec qui elle aimerait faire ce voyage. La cliente a précisé qu'elle souhaiterait s'y rendre avec son mari. Comme ses enfants étaient encore en bas âge, cela semblait impossible, mais peut-être que d'ici cinq ans, ses parents seraient d'accord pour les garder. La thérapeute a encouragé la patiente à prendre son projet très au sérieux !

Des gens peuvent-ils envisager des projets à long terme, alors qu'ils ont très peu de temps devant eux ? Certains s'empêchent de rêver ; ils se disent qu'ils ne peuvent faire comme si de rien n'était. En fait, il est tout à fait envisageable d'avoir de grands projets. Il suffit, explique Josée Savard, de diminuer l'importance accordée à la certitude de les réaliser un jour. D'ailleurs, sommes-nous vraiment certains de pouvoir accomplir tous nos rêves ? Nous savons que nous allons mourir, mais cela ne nous empêche pas d'avoir des plans et de nous préparer à les mettre en œuvre.

Remuer ciel et terre pour réaliser ses rêves

Lori Schneider a reçu un diagnostic de sclérose en plaques. Une fois le choc passé, cette grimpeuse américaine a décidé d'aller au bout de ses aspirations. Elle a parcouru le monde et gravi les montagnes les plus élevées d'Afrique, d'Europe, d'Amérique du Sud, d'Amérique du Nord, d'Australie, d'Antarctique et d'Asie. Elle est devenue la première personne atteinte de cette maladie à avoir réalisé l'exploit que les connaisseurs appellent les « sept sommets ».

En outre, elle voulait montrer au monde que les gens atteints d'une maladie dégénérative ont besoin de croire qu'ils peuvent avoir des rêves et les matérialiser. Elle a formé un groupe de personnes qui avaient la sclérose en plaques et la maladie de Parkinson pour l'accompagner dans son ascension du mont Kilimandjaro. Avec presque 6000 m d'altitude (le sommet le plus haut d'Afrique), le Kilimandjaro est généralement réservé aux grands alpinistes. Or, tous les grimpeurs du groupe de Lori étaient gravement affectés par la maladie. Parmi eux, Nan Little, atteinte de Parkinson, avait 65 ans lorsqu'elle a escaladé le Kilimandjaro. Cette expédition a été l'expérience de sa vie, jure-t-elle !

On ne peut accomplir tout ce que l'on désire ; nous avons des limites physiques, mentales et financières. Nous n'avons pas à nous rendre au Kilimandjaro, encore moins à nous payer les « sept sommets », mais nous pouvons entreprendre un projet qui nous apporte du plaisir et qui renforce notre envie de *remuer ciel et terre* pour le réaliser.

Ne dit-on pas aux gens qui n'ont plus que quelque temps à vivre qu'ils ne peuvent rêver ? Ne les prépare-t-on pas ainsi à mourir plus rapidement ? Au contraire, si l'on faisait comme le cancérologue américain Carl Simonton et qu'on les laissait décider de leur vie ?

Accomplissons nos rêves, aussi modestes ou fous soient-ils !

Évelyne Bissone Jeufroy raconte encore à ce propos qu'une femme atteinte d'un cancer en phase terminale est allée consulter Carl Simonton. Celui-ci lui a demandé ce qu'elle aimerait faire du mois qui lui restait à vivre. Elle lui a répondu que son souhait le plus cher était de faire le « tour du monde ». Alors, il l'a poussée à le concrétiser. Il n'exigeait qu'une seule chose : qu'elle lui envoie une carte postale par semaine. Quelques jours plus tard, la femme partait en voyage.

Comme prévu, le cancérologue a reçu de ses nouvelles. Une carte, puis deux, puis trois. Au bout de six mois, comme le précise la psychologue, les cartes lui arrivaient toujours. Un an plus tard, la femme est rentrée de son tour du monde et est retournée voir le médecin. Après un examen, celui-ci a constaté qu'il n'y avait plus de traces de cancer.

Je connais des personnes qui se sont inspirées de la méthode de Carl Simonton et qui ont vu leur existence transformée. Sa méthode n'exige pas tant qu'on parte pour un long séjour à l'étranger, à moins que cela soit notre volonté, mais plutôt que l'on se gâte de petits bonheurs au quotidien. Il suffit de nous accorder un, deux, trois, quatre plaisirs par jour, au minimum, et de ne pas en démordre. Après un certain temps, cela deviendra une habitude. Selon les observations du cancérologue, et comme ce fut le cas de cette étonnante voyageuse, l'anticipation de moments heureux renforce la capacité à lutter contre l'adversité.

Accordons-nous un plaisir par jour, au minimum.

Une seule vie à vivre

Savoir qu'on a un nombre limité de jours à vivre change notre perspective de la vie. Eugene O'Kelly a découvert que, de ce point de vue, chaque jour devient un présent qu'on ne veut pas dilapider. Puisqu'il ne pouvait envisager de deuxième épisode au roman de sa vie, il s'est consacré totalement à celui qu'il était en train d'achever. Nous le verrons dans le prochain chapitre, il s'est également organisé pour vivre des moments parfaits avec les gens qu'il aimait.

De cette façon, il achetait du temps ; du temps de qualité. Il mettait en pratique cette citation de Maria Edgeworth : « Si nous prenons soin du moment présent, les années prendront soin de nous. » Fidèle à lui-même, il reprenait possession de ce qui lui appartenait. Il retrouvait ainsi l'intensité qu'il recherchait, en suivant un rythme moins fou.

D'autres personnes, lorsqu'elles sont forcées d'admettre qu'elles ne sont pas immortelles, accomplissent des choses qu'elles n'ont jamais osé faire. Elles disent ce qu'elles n'ont pas osé dire. Elles font du ménage parmi toutes les choses qui compliquent leur quotidien et commencent à vivre plus simplement. Certaines d'entre elles se mobilisent pour réaliser un projet d'envergure ou savourent leurs derniers jours. Même quand elles n'ont plus la force de se déplacer, elles gardent l'espoir que demain quelque chose de bien surviendra ; elles souffriront moins, elles reverront leurs enfants, elles trouveront leur sérénité.

La mort ne se cache pas derrière quelques illusions de toute-puissance et de vie éternelle. Elle apparaît sans détour, avec franchise. Elle est au seuil de leur porte, à les attendre. Considérons notre existence comme ces personnes le font, en n'oubliant jamais que nous n'avons qu'une seule vie à vivre !

Simplifiez votre vie

Voici un exercice qui a pour but de vous aider à simplifier votre vie et à y donner un sens nouveau. Commencez par dresser la liste des tâches et des activités que vous réalisez chaque jour. Répartissez cette liste en quatre colonnes :

1. les occupations essentielles, sans lesquelles vous ne survivriez pas ;
2. celles qui vous apportent du plaisir ;
3. les occupations obligatoires que vous devez faire pour être un bon parent, un bon employé, un bon citoyen ;
4. les autres qui ne sont ni essentielles, ni plaisantes, ni obligatoires ; en d'autres mots, qui sont inutiles.

Mes activités quotidiennes			
Essentielles	**Plaisantes**	**Obligatoires**	**Inutiles**
Me nourrir	Me détendre dans un bain chaud	Me rendre au travail	Me ronger les ongles
Dormir	Jouer au tennis	Entretenir la maison	Manger des sucreries
Aller aux toilettes	Faire du bénévolat	Tondre la pelouse	Me plaindre de tout et de rien
Me laver	Jardiner	M'occuper des enfants	Fréquenter les soirées d'affaires
Gagner mon pain		Mettre les poubelles à la rue	Passer mon temps devant l'écran
		Préparer les repas	Me maquiller tous les matins
		Nourrir le chien	
		Conduire prudemment	
		Aller à l'épicerie, à la banque, au garage, etc.	

Maintenant, considérez la quantité d'éléments par colonne ; celle de vos plaisirs doit être aussi longue que celles de vos occupations obligatoires. Si ce n'est pas le cas, trouvez le moyen de l'allonger en vous accordant des occasions supplémentaires de plaisir quotidien. Ensuite, attardez-vous à la dernière colonne et simplifiez votre vie en éliminant progressivement les occupations auxquelles vous ne tenez pas.

Si vous le désirez, vous pouvez partager avec une autre personne les découvertes que vous avez faites durant cet exercice.

L'ultimatum

Imaginez que vous n'avez qu'une dernière année à passer sur terre et demandez-vous quelle serait la chose primordiale que vous voudriez faire ou dire, avant qu'elle ne se termine. Si vous voulez pousser cet exercice un peu plus loin, pensez en termes de mois. Imaginez que vous mourrez à la fin du mois, quelle est la chose la plus importante que vous désirez accomplir ? Voyez comment vous pouvez ensuite faire des gestes concrets pour réaliser ce qui importe vraiment à vos yeux.

Pense-bête pour les fervents

Prenons conscience de notre mort,
nous aurons alors une grande envie de vivre.

Profitons du cadeau de la vie,
celui de vivre un autre jour, puis un autre.

Devenons les maîtres à bord de notre vie.

Quand la vie ne tient qu'à un fil,
tenons-le fermement !

Donnons une nouvelle direction à notre existence.

Préférons les choses simples.

Gardons toujours l'espoir que demain,
quelque chose ira mieux.

Vivons tant que nous sommes «vivants» !

N'attendons rien, provoquons ce que nous désirons.

Accomplissons nos rêves, aussi modestes
ou fous soient-ils !

Accordons-nous un plaisir par jour, au minimum.

Vivons en nous rappelant que nous n'avons
qu'une seule vie !

CHAPITRE 9
Les sociables

Un récit extraordinaire est relaté par Dan Buettner dans un article paru dans le *New York Times* et intitulé «L'île où les gens oublient de mourir». Ce récit parle d'un homme d'origine grecque, Stamatis Moraitis, qui était établi aux États-Unis depuis plusieurs années. Il était au milieu de la soixantaine lorsqu'il a appris qu'il avait un cancer des poumons. Les médecins lui donnaient neuf mois à vivre.

Après le choc de la mauvaise nouvelle, Stamatis a décidé de quitter sa villa en Floride pour retourner vivre à Icare, son île natale, avec sa conjointe. Il s'est installé dans une maisonnette blanchie à la chaux, au milieu d'un hectare de vignes escarpées, et s'est préparé à mourir. D'abord, il a passé ses journées au lit, soigné par sa mère et sa femme. Mais bientôt, lorsque ses amis d'enfance apprirent son retour, ils ont commencé à lui rendre visite chaque après-midi. Leurs conversations pouvaient durer des heures et s'accompagnaient invariablement d'une ou de deux bouteilles de vin. «Autant mourir heureux!», se disait Stamatis.

Pendant les mois qui ont suivi, quelque chose d'étrange s'est produit. Il a commencé à sentir ses forces le regagner. Un jour, l'envie lui a pris de planter quelques légumes dans son jardin. Il ne projetait pas de les récolter lui-même, mais il aimait le soleil et respirer l'air de la mer. Il faisait cela pour sa femme, pour qu'elle puisse profiter des légumes quand il aurait rejoint d'autres cieux.

Six mois se sont écoulés. Stamatis était toujours vivant. Loin d'entrer en agonie, il avait étendu son potager et aménagé la vigne familiale. S'accommodant du rythme de vie tranquille de la petite île, il se levait le matin quand bon lui semblait, travaillait à la vigne jusqu'en début d'après-midi, mangeait, puis faisait une longue sieste. Le soir, il jouait aux dominos avec ses amis jusqu'à une heure tardive.

Les années passèrent. Sa santé a continué de s'améliorer.

Aujourd'hui, âgé de 97 ans, Stamatis n'a plus le cancer. Il n'a jamais suivi de traitement et n'a pris aucun médicament d'aucune sorte. Tout ce qu'il a fait, c'est retourner à Icare.

Dan Buettner est un scientifique qui étudie le mode de vie des gens qui ont une longévité exceptionnelle. Il a découvert que les hommes d'Icare ont quatre fois plus de chances de devenir très vieux que les Américains. En général, ils sont en meilleure santé et vivent plus longtemps. Ils souffrent moins de dépression et leur taux de démence sénile (pertes de mémoires dues à l'âge) est le quart de celui de la population américaine.

Quel est le secret d'Icare? Selon le docteur Leriadis, qui soigne les habitants de cette île, leur bonne santé tient notamment à leur mode de vie et aux bonnes relations sociales qui existent entre eux. En revanche, les femmes qui vivent le plus longtemps habitent l'île d'Okinawa, au Japon. Ces femmes centenaires font partie intégrante de leur communauté, qu'elles considèrent comme leur famille. Le documentaire inspirant *Happy*, de Roko Belic, les montre en train de s'occuper des petits du village comme de leurs propres enfants. Elles entretiennent une camaraderie entre elles, elles chantent et dansent, et elles s'amusent.

Les gens « comme nous »

Les gens *sociables* s'en sortent mieux, notamment parce que le soutien apporté par leur famille ou leurs amis contribue à maintenir leur équilibre émotionnel. Cet équilibre, à son tour, améliore leur santé. À l'instar des hommes d'Icare et des femmes d'Okinawa, plusieurs d'entre eux *oublient* de mourir !

Nos relations avec les autres sont vitales. Mal en point, nous avons encore plus besoin d'autrui. Le naturaliste anglais Charles Darwin affirmait que les humains sont semblables à des animaux sans défense. Pour se protéger et survivre, ils doivent se tenir en clan. Si nous avions la taille d'un ours, les griffes d'un tigre ou les crocs d'un crocodile, ce serait différent !

Le problème, c'est que plus ça va, moins les humains ressemblent à des animaux ; leurs clans ne correspondent plus qu'à de petites cellules familiales, souvent isolées les unes des autres.

Cependant, comme les humains sont brillants, ils ont inventé une sorte de remplaçant qui les réconforte quand aucun proche n'est à portée de main. Ce sont les groupes d'entraide ; ils n'y jouent pas aux dominos comme les amis de Stamatis, ni n'y prennent un coup entre eux, mais les groupes leur permettent d'y voir plus clair et de retrouver la santé d'esprit.

De nombreuses preuves s'accumulent au sujet de l'effet des groupes d'entraide sur la santé. Ceux qui en font partie se retrouvent avec des gens qui leur ressemblent, avec lesquels ils échangent, et qui leur font du bien. Les conclusions d'études montrent que ces groupes accélèrent le processus de rétablissement des personnes souffrantes et prolongent leur espérance de vie. Christian Boukaram insiste pour dire que les gens malades ayant bénéficié de deux formes de thérapie, la chimiothérapie et les groupes d'entraide, ont le meilleur taux de survie.

Ces résultats, comme ceux de toutes les autres études, doivent être considérés avec prudence. De plus, si des études arrivent à la conclusion que l'intervention psychologique accroît les chances de prolonger la durée de vie, il n'est pas nécessaire d'avoir recours à des services professionnels. À ce sujet, le professeur David Spiegel, de l'école de médecine de Stanford à San Francisco avait simplement suggéré à des femmes atteintes de cancer du sein de se rencontrer durant l'année. Chaque semaine, elles se voyaient et exprimaient leurs sentiments ; elles confiaient leur peur d'être défigurées par la chirurgie, de mourir, d'être abandonnées par leurs conjoints. Cinq ans plus tard, ces femmes avaient doublé leurs chances de survie !

Des groupes d'entraide, il en existe des tonnes. Des parents et des amis de gens atteints d'une maladie physique ou mentale se rassemblent et répondent ainsi à leur besoin de ne pas se sentir seuls et d'avoir des conseils éclairés. Des mères de famille monoparentale, des personnes anxieuses, des ex-toxicomanes, mais aussi des gens ordinaires se voient une fois par mois, pour se soutenir.

Mon ami fait partie d'un groupe d'hommes. Ils sont cinq ou six. Ils se rencontrent régulièrement. Peu à peu, ils sont devenus de véritables confidents. Ils connaissent à peu près tout des uns et des autres. Ils sont *là*, au moment de la séparation douloureuse de l'un de leurs amis ou quand un autre perd un proche. Ils sont au courant des difficultés de l'un avec son adolescent ou quand un autre copain se sent déprimé à l'idée de vieillir, mais aussi quand il tombe amoureux et qu'il a besoin de le crier haut et fort. Ensemble, ils s'épaulent dans les périodes difficiles, tout comme ils assistent à leurs moments de fierté et de grand bonheur. Le groupe de mon ami a été formé sans grandes formalités, voilà déjà trente ans, et rien au monde ne mettrait fin à leur complicité.

Aimer et se sentir aimé

Dans une recherche rapportée par Norman Cousins et réalisée à l'école de médecine de l'Université de Californie à Los Angeles, des patients dont la tumeur maligne avait été retirée chirurgicalement participaient à un groupe d'entraide. Les rencontres avaient lieu une heure par semaine, pendant six semaines. Aucun d'eux ne recevait de traitement médical. Cinq à six ans plus tard, seulement 3 des 34 patients du groupe étaient décédés; beaucoup moins que ce à quoi les médecins s'attendaient.

Comment expliquer que la participation à ce groupe, qui dura seulement six semaines, ait eu un effet à si long terme? Norman Cousins a suggéré l'idée que ces gens ont développé leur capacité de recevoir et de donner de l'amour librement. Toutefois, il n'est pas nécessaire de faire partie d'un groupe d'entraide pour aimer et se sentir aimé. Évidemment, des membres de notre famille, nos amis, certains voisins ou collègues font tout autant l'affaire.

Mais vos proches sont-ils *là* pour vous? Êtes-vous là pour eux? Vous avez tout intérêt à ce que ce soit le cas! Selon les professeurs Sally Dickerson et Peggy Zoccola, de l'Université de Californie à Los Angeles, la présence de personnes aimantes a une profonde influence sur notre santé. Ces chercheurs ont découvert que le fait d'être entourés de gens que l'on apprécie renforce notre immunité. Au contraire, si l'on se sent isolé, le taux d'anticorps dans notre sang diminue et, avec lui, notre aptitude à nous protéger contre les maladies. La discorde, quant à elle, est à l'origine de plusieurs affections; on se retire, on se sent seul et un cercle vicieux pathogène s'instaure.

Encore une fois, l'humain ressemble aux animaux. Prenons un animal isolé qui affronte une menace; son taux de cortisol (l'hormone du stress) peut augmenter de 50 %, ce qui peut provoquer une maladie. Lorsqu'il est entouré de ses congénères, son taux de cortisol n'augmente pas, même s'il est en danger.

Être aimé est un besoin biologique, au même titre que boire et manger. Il semble que rien n'ait autant d'impact sur la qualité de vie, la maladie et la mort prématurée, écrit Dean Ornish, un professeur de

Aimer et être aimé est un atout pour la santé.

médecine à l'Université de Californie à San Francisco. Le temps que nous passons avec nos proches et nos amis, à nous confier, à plaisanter, à refaire le monde... ralentit la progression des maladies. Il freine le déclin cognitif qui vient avec l'âge.

L'autre n'a pas besoin d'être physiquement présent pour produire un effet physiologique. Le simple fait de penser à l'être aimé fait diminuer le stress. L'effet est observable; la pression sanguine baisse, tout comme l'activité cardiovasculaire. Un coup de téléphone ou un courriel ont le même effet.

Si nous tombons malades, qui prendra soin de nous?

Voulez-vous savoir si vous seriez bien entouré, en cas de maladie? Vos réponses aux questions suivantes vous en donneront une petite idée. Répondez-y honnêtement.

- Si vous tombiez malade, auriez-vous un ami ou un proche qui vous conduirait avec plaisir à l'hôpital ou devriez-vous prendre un taxi ou l'ambulance?
- Si vous éprouviez de sérieuses difficultés financières, auriez-vous un ami ou un proche qui vous prêterait volontiers l'argent dont vous avez besoin?
- Si vous tombiez malade, y aurait-il une personne qui serait ravie de s'occuper de vous ou de vos enfants pendant votre convalescence?
- Y a-t-il une personne près de vous à qui vous pouvez faire totalement confiance et qui vous aime?

Les réponses à ces questions sont particulièrement révélatrices, expliquent Vicki Helgeson et Sheldon Cohen, chercheurs à l'Université Carnegie-Mellon, en Pennsylvanie. Si nous répondons «oui» à la majorité d'entre elles, nos risques de mourir prématurément et de contracter une maladie sérieuse sont de trois à cinq fois *moins* élevés que si nous répondons «non». On s'en sortira mieux, semble-t-il, que les gens qui se trouvent *seuls au monde*. Ces résultats valent pour d'autres graves problèmes : les gens sociables ont moins de tracas avec l'alcool, les drogues et ils ont moins de pensées suicidaires, par exemple.

Le psychologue québécois Yvon Saint-Arnaud (celui qui a été libéré de son torticolis par un fou rire) rapportait une expérience menée auprès de 10 000 hommes mariés à haut risque de maladies cardiaques. Celle-ci a démontré que ceux qui avaient une relation aimante avec leur conjointe voyaient leur risque de faire un infarctus diminuer. Il semble que l'effet bénéfique était aussi élevé,

Occupons-nous des autres, c'est bon pour notre santé !

sinon plus, chez les conjointes qui prenaient soin de leur mari.

Maintenant, que diriez-vous de répondre à cet autre questionnaire qui prédira vos chances de bien vous en tirer, côté santé ?

• Vous entendez-vous bien avec vos parents ?
• Comment décririez-vous le type de relation que vous avez avec eux ?
• Êtes-vous près d'eux affectivement ?
• Diriez-vous que vos parents vous manifestent de l'amour ?
• Quels mots utiliseriez-vous pour décrire chacun de vos parents ?
• Qu'en est-il de vos relations avec vos frères et sœurs ?

Il semble que nos réponses à ces questions soient déterminantes. Le professeur de médecine Dean Ornish a demandé à des étudiants s'ils considéraient leur relation avec leurs parents comme étant bonne ou mauvaise. Trente-cinq ans plus tard, les personnes qui avaient affirmé vivre une relation riche en affection et qui avaient une très bonne perception de l'amour de leurs parents étaient moins malades, en général, que celles qui avaient jugé que leur relation avec leurs parents était médiocre — et qui, notamment, avaient eu peu de mots positifs pour les décrire. Ces dernières étaient souvent sérieusement malades une fois dans la cinquantaine.

L'enfer, c'est de n'avoir personne !

Certaines personnes reçoivent un avis médical terrifiant et n'ont aucun confident dans leur entourage. Le téléphone ne sonne jamais chez eux, la visite manque à l'appel. Ils n'ont personne sur qui compter quand le malheur frappe à leur porte. La tentation doit être grande alors de ne pas se battre. Se battre pour qui ? Pour quoi ?

Tout compte fait, les autres jouent un rôle important dans notre existence, surtout pendant les jours difficiles. Mon ami Joe m'écrivait que, lorsque son frère Mark est décédé subitement, il a réalisé l'importance de la présence des autres. Mark avait succombé après de longues années de lutte contre la toxicomanie. C'était un « bon gars avec un très gros problème », me confiait-il. Joe correspondait assez régulièrement avec Mark, mais il reste avec cette culpabilité qui lui fait se demander ce qui se serait passé s'il lui avait parlé un ou deux jours avant qu'il meure...

La leçon qu'il a pu en tirer est simple : malgré toutes nos préoccupations journalières, il faut trouver le temps de rester en contact avec nos proches. Aussi, il comprend maintenant pourquoi il est si important d'aller aux funérailles lorsque quelqu'un que nous connaissons perd un proche. Il a été très touché qu'un de ses bons amis d'enfance interrompe ses vacances au bord de la mer, à 100 km, pour assister aux funérailles de Mark, qui n'a pourtant duré qu'une petite demi-heure.

Ceux qui ont perdu un être cher, comme Joe, comme moi, comme vous peut-être... connaissent l'effet réconfortant de la présence des autres lors du dernier hommage. Le grand philosophe existentialiste Jean-Paul Sartre écrivait : « L'enfer, c'est les autres. » Mais le véritable enfer, c'est de n'avoir personne ; personne à côté de nous quand nous sommes en deuil ou quand nous sommes très mal portants.

Y aura-t-il quelqu'un à votre chevet, si vous tombez malade ? Quelqu'un qui vous permettra de reprendre vos forces ? Qui vous apportera des petits plats, fera couler votre bain et vous accompagnera lors de vos premiers pas hors du lit ? Qui, pensez-vous ? Les membres de votre famille ?

D'accord, on endure parfois nos proches. On s'occupe d'eux. On se fait du mauvais sang. Tantôt, on apprécie leur générosité ou leur humour, mais en d'autres occasions, on peut être las de les

> *Chérissons nos proches, car ce sont eux qui seront là, à la toute fin.*

voir se mettre les pieds dans les plats. Ils peuvent nous irriter avec leurs caprices, leur mauvais caractère ou leurs amis peu fréquentables. Mais, mais... ce sont *eux* qui seront *là*, qui prendront soin de nous. Et c'est à eux que nous penserons, avec amour et gratitude, durant nos derniers jours.

Des moments parfaits

Eugene O'Kelly écrivait que la mort nous apparaît de façon flagrante le jour où notre enfant naît. On se dit alors que, tôt ou tard, on devra le quitter. À la veille de s'éloigner des siens pour toujours, il considérait qu'il avait une chance inouïe, celle de partager du temps avec eux et de leur dire un adieu véritable.

Son plan : vivre des « moments parfaits » avec chaque personne qui comptait

> *Au premier « bonjour » qu'on adresse à quelqu'un, un adieu vient aussi.*

pour lui. Pour mettre son plan à exécution, il a dressé la liste des centaines de personnes marquantes qu'il avait l'intention de revoir une dernière fois avant son départ, ainsi que ses amis intimes, les membres de sa famille, ses enfants et sa femme. Il s'est remémoré comment il a appris à devenir une meilleure personne grâce à chacun d'eux. Puis, il les a rencontrés un à un pour leur exprimer sa gratitude. Parce que la situation était grave, chacun prenait la peine de l'écouter.

Il n'y avait toutefois rien de pathétique dans ces moments qui lui ont permis de mourir en connexion avec les autres, plutôt que seul. Chaque rendez-vous avec l'autre se voulait une occasion inoubliable qui n'avait pas tant à voir avec la mort qu'avec la vie heureuse qu'il avait connue en leur présence. Toute son existence, Eugene O'Kelly avait été à la recherche de l'excellence, notamment dans son travail. À la toute fin, il voulait la terminer en s'offrant les plus merveilleux moments.

On met bien de l'argent de côté pour nos vieux jours, insistait-il, pourquoi ne pas commencer à mettre du temps de côté pour vivre des moments parfaits ? Ces moments nous donnent accès, ici sur terre, à ce qui ressemble le plus à l'image que nous avons du paradis. À quoi ressemblerait un *moment parfait* pour vous ? Avec qui souhaiteriez-vous le partager ? Combien de temps vous faudrait-il pour réaliser autant de moments parfaits qu'il existe de personnes que vous chérissez ? Trente jours ? Six mois ? Dix ans ? Que diriez-vous de commencer dès maintenant ?

Je suis là avec toi

Les gens sociables possèdent le secret de la santé et de la longévité. En plus d'être de bonne compagnie, ils profitent des gens qui leur font du bien. Ils savent qu'en cas de tempête, leurs proches et leurs amis sont une bouée de sauvetage. En retour, ils sont là pour les autres.

Que font-ils de particulier ? Ils font comme les hommes de l'île d'Icare et les femmes d'Okinawa, ils passent de longues heures à s'amuser en bonne compagnie, simplement. Certains tendent la main et l'oreille, ils touchent une épaule pour dire : « Je suis là, avec toi. » En fait, ils disent peu de choses, mais ils parlent avec leur cœur.

L'abc d'une existence comblée commence avec les gens qu'on aime, quand on prend la peine de leur rendre visite ou de les appeler. Quand on leur demande sincèrement comment ils vont. Quand on leur exprime qu'ils sont importants à nos yeux. Ces gestes n'auront pas de prix quand ces personnes mourront, un jour ou l'autre.

> *Aimons les gens en sachant que nous pouvons les perdre demain.*

Laissons libre cours aux sentiments que nous ressentons pour autrui. Donnons de l'amour et de l'amitié sans gêne, et recevons-en sans nous défendre, ni nous excuser. Acceptons avec plaisir les marques d'affection et, en échange, offrons des câlins. Ces gestes contribueront à notre santé et à notre bien-être, comme à ceux des autres.

Les îles d'Icare et d'Okinawa chez vous !

Remémorez-vous les journées ou les soirées agréables que vous avez passées en bonne compagnie. Quand cela se passait-il ? Avec qui étiez-vous ? Que faisiez-vous ? Ressentez le plaisir que ces pensées vous procurent.

Maintenant, que diriez-vous d'imiter les habitants des îles d'Icare et d'Okinawa ? À la prochaine occasion où vous serez entouré de gens qui vous font du bien, prenez le temps de savourer leur présence, de discuter longuement, de vous amuser simplement !

Des moments parfaits

Imaginez que vous avez le temps de préparer votre grand départ, en mettant en place des moments parfaits avec les gens. Commencez par retrouver les personnes qui ont croisé votre route et qui l'ont influencée positivement ; celles qui vous ont aidé à devenir une meilleure personne, qui vous ont donné une leçon de vie. Faites une liste en pensant aux grands-parents, aux oncles et aux tantes… Rappelez-vous les professeurs, les anciens voisins, les vieux copains, les amours d'antan… les gens qui vous ont marqué. Puis, attardez-vous aux personnes qui sont précieuses à vos yeux et qui font partie de votre vie présentement : vos parents, votre conjoint, vos enfants, vos amis, vos collègues, les gens que vous côtoyez régulièrement ou que vous rencontrez occasionnellement. Ceux qui vous font rire, qui vous rendent service, qui font équipe avec vous…

Maintenant, avez-vous envie de réaliser un plan dans lequel vous prévoirez les plus merveilleux moments à partager avec eux ? Si le cœur vous en dit, consacrez-y le reste de votre vie !

L'exercice de gratitude

Pensez à une personne qui est particulièrement chère à vos yeux. Quelles sont les qualités que vous appréciez chez elle? Qu'apporte-t-elle à votre vie? Quelle influence positive a-t-elle sur vous et quelles valeurs vous transmet-elle? Qu'aimeriez-vous lui dire le plus sincèrement du monde, en sachant qu'un jour, assurément, vous ne la reverrez plus? Savourez les émotions qui sont présentes au moment où vous pensez à elle.

Maintenant, voulez-vous pousser un peu plus loin cet exercice? Prenez le téléphone et composez son numéro! Si elle est absente, laissez-lui un message personnel, écrivez-lui un message électronique ou, mieux, rendez-lui visite. Exprimez-lui votre reconnaissance pour le cadeau qu'elle vous fait en étant dans votre vie. Exprimez-lui les émotions qui vous habitent lorsque vous pensez à elle. Cet exercice, connu sous le nom de l'exercice de gratitude, aura un effet puissant sur les personnes avec qui vous le partagez, et aussi sur vous-même.

Pense-bête pour les sociables

Comme les gens d'Icare,
créons un endroit où il fait bon vivre,
en agréable compagnie.

En cas de besoin, joignons-nous à un groupe
de «pareils à nous».

Aimons et laissons-nous aimer.

Posons-nous la question : «Qui prendra soin de nous,
si nous tombons malades ?»

Occupons-nous des autres,
c'est bon pour notre santé !

Chérissons nos proches, car c'est eux qui seront *là*,
à la toute fin.

Aimons les gens en sachant que nous pouvons
les perdre demain.

Inventons des «moments parfaits»
avec ceux que nous apprécions.

CHAPITRE 10
Les courageux

Des gens dont le cœur a cessé de battre reviennent à la vie. On dit qu'ils ont connu une mort imminente.

Quelles que soient les circonstances qui ont provoqué l'arrêt cardiaque, ces gens vivent une expérience un peu analogue : le tunnel menant à la lumière, le sentiment de paix intérieure, les proches décédés qui attendent et l'envie de rester avec eux. David Servan-Schreiber explique que certains en parlent d'une façon déroutante, un peu comme s'ils avaient fait un « grand voyage » et qu'ils en étaient « revenus ». La lumière blanche au fond du long passage leur a transmis une telle énergie, de l'amour en quelque sorte ; cela les a plongés dans un état de bonheur qu'ils ont beaucoup de peine à décrire. « Ils n'en sont revenus que parce qu'ils s'en sont sentis obligés », précise David. Par ailleurs, ajoute-t-il, presque tous affirment que, grâce à cette expérience, ils n'éprouvent plus aucune peur de la mort.

D'autres hommes et femmes n'ont pas vécu de mort imminente, mais ils anticipent ce moment avec quiétude. Maurice, mon oncle, était atteint d'un cancer des poumons en phase terminale ; il peinait à respirer. Au lieu d'attendre sa fin passivement, il a décidé de se rendre en Floride pour y passer ses derniers moments. L'air salin, lui avait-on dit, allait alléger ses souffrances.

Sa femme, mes parents et moi-même l'accompagnions. Nous prenions le vol de Montréal à destination de Fort Lauderdale. À cette époque, je me souviens, j'avais peur des avions. Lui ne sourcillait pas. Au contraire, il riait de bon cœur de me voir si effrayée. Je n'en croyais pas mes oreilles quand il affirmait qu'il ne ressentait aucune frayeur à l'idée que l'avion s'écrase. De toute façon, me disait-il, il allait mourir d'ici quelques semaines! C'est sans ironie que mon oncle parlait de sa mort. Celle-ci arriva comme prévu et il l'a accueillie le cœur léger.

Comme Maurice, ceux qui ont apprivoisé la mort trouvent le *courage* d'y faire face sans être terrifiés. Ils s'en approchent remplis d'une grande sérénité. Moi, quand j'y pense, j'ai les jambes qui ramollissent. Aucune expérience ne m'a habituée à l'idée!

Redoutez-vous votre mort? Pour ma part, je crains surtout qu'elle arrive trop vite. J'ai peur de ne pas avoir le temps de réaliser mes rêves. D'être en train de sacrifier du temps précieux à faire toutes sortes de choses, comme de chercher à devenir quelqu'un, plutôt que de me consacrer à la vie simple à laquelle j'aspire. Je me demande d'ailleurs pourquoi il faut qu'on attende d'être sur le point de mourir pour vivre la vie qu'on désire; n'y a-t-il pas de meilleur moment que maintenant?

Si vous n'avez pas encore vu le film *Maintenant ou jamais* (le titre anglais *The Bucket List* est mieux connu), je crois que vous le trouveriez à propos. Deux hommes partagent une chambre d'hôpital, un milliardaire célibataire, propriétaire de l'institution où il est soigné, et un mécanicien afro-américain, père de famille. Ils sont atteints d'un cancer et ils n'ont plus que quelques mois à vivre. Tous deux décident de faire une liste de ce qu'ils ont toujours voulu faire. Ils partent explorer le monde; ils voyagent d'un bout à l'autre de la planète, volent au-dessus du pôle Nord, chassent le lion en Tanzanie, visitent le Tāj Mahal en Inde, roulent à moto sur la Grande Muraille de Chine, voient l'Himalaya au Tibet, admirent les gratte-ciel de Hong Kong... Mais, après ce périple extravagant, il leur faut rentrer à la maison. C'est là que commence le véritable défi!

Avec la richesse, tout est possible. *The sky is the limit*, comme le dit l'expression anglaise. Les deux sexagénaires peuvent réaliser tous leurs fantasmes. Néanmoins, cela prend plus que du fric pour... revenir à l'essentiel. Il faut du cran pour sortir de nos vieilles pantoufles, nous libérer de nos chaînes et voler très haut. Délaisser les routines qui deviennent au fil des ans un coussin sécurisant, et les rôles ou personnages auxquels on est attaché. Ce courage, de grands malades le trouvent au moment où ils réalisent qu'ils n'ont plus rien à perdre. Alors, ils surprennent les gens qui les connaissent bien, parlent avec des mots qui viennent du cœur et agissent en fonction de ce qu'ils ressentent vraiment.

Prenons conscience de notre mort et transformons notre vie.

Les regrets des mourants

Le naturaliste Charles Darwin, dans son autobiographie, reconnaissait qu'il avait des regrets. Au fil des décennies, son cerveau était devenu une sorte de machine inhumaine incapable de lire une seule ligne de poésie et sans aucun goût pour la musique. S'il pouvait recommencer sa vie, admettait-il, il se ferait une règle de s'arrêter au moins chaque semaine pour lire de la poésie et écouter de la musique.

À l'instar de Darwin, nous aurons des regrets à notre mort. Bien entendu... si la vie nous accorde le privilège d'être conscient de nos derniers jours. Nous éprouverons du chagrin au sujet de décisions qu'on a prises ou qu'on n'a pas prises, au sujet de choses qu'on a faites ou qu'on n'a pas faites. Nous nous dirons peut-être intérieurement «j'aurais donc dû» et nous nous reprocherons de ne pas avoir été au bout de nos aspirations. Nous ne penserons pas au dernier bidule électronique sur le marché ou à la bouteille de vin hors de prix devant laquelle nous avons hésité. Ce n'est

Évitons d'avoir
des regrets
à la veille de
notre mort.

pas le genre de déception qu'éprouvent les mourants. Ceux-ci souhaiteraient avoir fait les choses autrement, mais quoi, au juste ?

Une infirmière australienne, Bronnie Ware, a passé plusieurs années à s'occuper des mourants. Elle a entendu leurs confidences et a établi un palmarès des cinq grands regrets des mourants. Je me dis que si nous les connaissons dès maintenant, nous pouvons faire quelque chose pour les éviter, à notre tour... Voulez-vous les connaître ?

Quand on meurt, on regrette de *ne pas avoir eu le courage de vivre sa vie à son image.* Quand on se rend à l'évidence que notre existence touche à sa fin et qu'on jette un regard lucide en arrière, on voit à quel point plusieurs de nos rêves ont été reportés aux calendes grecques. La plupart des gens n'ont même pas honoré la moitié de ceux-ci. La santé apporte une liberté dont on prend conscience lorsqu'elle nous échappe, dit l'infirmière, alors qu'il est déjà trop tard. Elle nous encourage à réaliser au moins un de nos rêves avant d'en arriver là.

Un autre regret qui touche chaque homme et chaque femme ayant un emploi exigeant est celui d'*avoir passé autant de temps à travailler.* Sur son lit de mort, un mourant chérit les souvenirs des moments vécus avec ses enfants et ses proches. Il se dit combien il est désolé de ne pas avoir été un père plus présent ou un compagnon de vie plus disponible. Les femmes de carrière partagent le même désappointement. En simplifiant notre existence, suggère Bronnie Ware, il est possible de ne pas avoir autant de besoins matériels et de profiter de chaque événement qui nous comble, autrement qu'en sortant notre portefeuille.

Une personne mourante se mord également les doigts de *ne pas avoir eu l'audace d'exprimer ses sentiments.* Lorsqu'au contraire, elle parle de façon honnête aux gens, ses relations s'élèvent à un niveau plus authentique et plus satisfaisant. Chacun peut choisir de sortir de relations toxiques, dit-elle, en parlant avec le cœur. Surtout, il peut se rapprocher des gens qui sont importants à ses yeux, en leur disant combien il les aime et ce qu'ils ont apporté à sa vie.

Lorsqu'on s'approche de la mort, nos anciens copains nous manquent, mais il est souvent impossible de les retrouver. Les mourants regrettent profondément de *ne pas avoir mis le temps et les efforts nécessaires pour demeurer en contact avec leurs amis d'antan.* Bien sûr, ils veulent régler leurs affaires financières avant de partir, mais l'argent n'a plus autant d'importance pour eux que la tendresse qu'ils ressentent à l'égard des autres. Le message des mourants : nourrissons nos amitiés véritables alors que nous en avons encore l'occasion !

Finalement, et jusqu'à la fin de notre vie, écrit l'infirmière australienne, nous ne réalisons pas suffisamment que *le bonheur est un choix.* Ses patients lui confiaient qu'ils sont restés emprisonnés dans de vieux *patterns.* Le confort que cela leur procurait a pris le dessus sur leur vie émotive et physique. Obnubilés par la peur du changement, ils se sont convaincus qu'ils étaient contents de ce qu'ils avaient, alors qu'en somme, ils auraient eu besoin d'aborder leur vie avec plus d'audace et de légèreté. Leur expérience nous exhorte à mettre un soupçon de folie dans notre quotidien.

Bronnie Ware reconnaît que la maturité des gens fait un bond lorsqu'ils sont confrontés à leur propre finitude. « Il ne faut jamais sous-estimer la capacité de grandir d'un être humain », déclare-t-elle. Chacun des mourants qu'elle a accompagnés a expérimenté une panoplie d'émotions, de profonds remords à l'acceptation ultime. Certains ont changé des choses plus ou moins décisives, d'autres ont glissé tranquillement vers l'ailleurs, mais tous, sans exception, ont trouvé la sérénité avant de fermer les yeux une dernière fois.

S'éloigner de ce qui nous rend malades pour se rapprocher de soi

Vous êtes-vous déjà dit que si vous tombiez malade, vous pourriez enfin vous… reposer ? Moi, oui. Plus d'une fois. Une petite indigestion, un mal de tête, des courbatures ne suffisaient pas. Je me répétais que le jour où je serais *vraiment* malade, je prendrais un congé. Si c'était très sérieux, je reconsidérerais les sources de la maladie ; je m'en éloignerais pour me rapprocher de moi-même. Maintenant, je sais que si j'attends encore longtemps, rien ne changera. Je sais de plus que personne n'est immortel. Un jour ou l'autre, je me retrouverai un peu à la dernière minute pour modifier quoi que ce soit.

À ceux qui envient les autres qui sont gravement malades parce qu'alors ils apprennent à mieux vivre, Guy Corneau écrit cette évidence, « le pire est déjà arrivé », même pour chacun de nous. Le pire, c'est que nous allons tous mourir. Il ajoute qu'on n'a donc pas besoin d'une maladie en phase terminale pour nous mettre à l'œuvre dès aujourd'hui.

Ironiquement, c'est sur leur lit d'hôpital que des malades trouvent le courage de « revivre ». Quand la maladie est d'emblée trop avancée, certains espèrent que leur passage soit doux et paisible, mais d'autres peuvent encore rebondir. Ceux-ci sont tellement tenaces qu'ils rebroussent chemin, ils ont des choses à régler sur terre et ils ne sont pas prêts à rejoindre la lumière blanche au bout du tunnel. Ils entreprennent le dernier tournant, dont ils tirent profit pour transformer radicalement leur mode de vie.

Comment font-ils, ces grands malades, pour avoir autant de cœur au ventre et se délivrer de leurs chaînes ? Quelle leçon pouvons-nous tirer de leur expérience ?

Physiquement souffrante, chacune des personnes dont il a été question dans ce livre s'est affranchie d'un aspect de son existence qui la rendait malade. Eugene O'Kelly a mis un terme à sa carrière et s'est libéré de l'importance disproportionnée qu'il accordait à son travail. En retour, il a découvert quelque chose de plus gratifiant que la réussite professionnelle, à travers les moments parfaits qu'il pouvait enfin vivre avec ceux qu'il aimait.

Pour sa part, David Servan-Schreiber a compris que même les missions les plus édifiantes, comme celle d'aider son prochain, pouvaient mener à la maladie. Il a accepté de se détacher des exigences qu'il s'était imposées pour réussir cette mission et, ce faisant, il a retrouvé un état de paix intérieur qu'il n'avait jamais connu auparavant.

La leçon de Norman Cousins : cessons d'alourdir notre esprit avec des pensées négatives, ne prenons pas *trop* au sérieux notre existence, ni notre petite personne ; préférons la gaieté qui soigne notre corps et notre esprit. Pour Guy Corneau, dont j'ai parlé à quelques reprises, le choix se posait déjà très clairement : se détacher de la « partie star » de sa vie ou mourir !

À ce propos, Danielle Fecteau raconte une anecdote touchante au sujet d'un homme au destin étonnant qui voit sa condition se métamorphoser le jour où il décide de profiter au maximum du petit bout de vie qui lui reste. Dans la jeune trentaine, Michael apprend qu'il est atteint d'une leucémie pour laquelle les spécialistes ne peuvent rien. Ceux-ci lui donnent tout au plus six mois à vivre. En sortant de la clinique, il rentre chez lui, remplit une valise et se retire quelques jours à la campagne. Voici ce qui advient ensuite...

Libérons-nous des personnages qui nous empêchent de vivre pleinement.

« Le lendemain, assis devant un lac, il fait un bilan de sa vie. Il a réussi, du moins il a toujours fait ce que l'on attendait de lui. Il est devenu ingénieur même si cette profession ne l'a jamais vraiment emballé, mais ses parents y tenaient tellement... Puis, il s'est marié avec une femme belle et intelligente qui est aussi ingénieure. Ce n'est pas le grand amour, mais ils partagent tous les deux les mêmes intérêts, les mêmes aspirations professionnelles[3]. »

Michael savait déjà ce qu'il comptait faire à sa retraite. Il en rêvait depuis l'adolescence, mais il craignait de décevoir ses parents. Il voulait acheter une terre et y cultiver des arbres fruitiers, se lever tous les matins et rester jusqu'au coucher du soleil, à récolter les fruits. Aujourd'hui, il est conscient que son rêve ne se réalisera jamais. « Il va mourir, écrit Danielle, avec l'impression d'être passé à côté de sa vie ; à côté de lui-même. »

« Pendant trois jours, Michael demeure au chalet, en silence, à contempler la nature, se remémorant chaque moment de son existence. Un après-midi, il téléphone à sa femme et à son employeur et leur annonce la décision qu'il vient de prendre : il ne rentrera pas, il ne rentrera plus, ni à la maison, ni au travail. Il va profiter au maximum du temps devant lui. Au hasard d'une promenade en voiture, il s'arrête chez un pomiculteur auquel il offre ses services gratuitement. Dix ans plus tard, Michael est toujours vivant. Il est maintenant associé avec le pomiculteur et sa maladie de sang a complètement disparu. On dit de lui qu'il est un cas de rémission spontanée […] que la science n'arrive pas à expliquer[4]. »

Chaque jour, ayons le courage de nous rapprocher de nous-mêmes.

Oublier l'ego un instant

Au sommet de notre jeunesse et de notre forme physique, la santé nous semble acquise. Alors, on se laisse prendre au jeu, un jeu surnaturel qui nous donne l'impression que rien ne peut nous atteindre. On se pense un professionnel accompli, un parent responsable, un ami indéfectible, surtout, on se croit *indispensable*.

---

3. Fecteau, Danielle. *L'effet placebo*, Montréal, Les Éditions de l'Homme, 2004, p. 10.
4. *Ibid.*, p. 11.

Tout à coup, la maladie nous dépouille de ce personnage qu'on confondait avec nous-mêmes. Elle nous renvoie le mirage de l'être humain que nous sommes. Alors, on sort de la fiction et on redécouvre à quoi ressemble la «vraie vie», tout comme de quoi est capable notre «vrai moi».

Des gens ont appris à reconnaître tout ce qui fait d'eux un être unique : leurs talents et leurs réussites, y compris leurs imperfections et les faux pas qu'ils ont commis. C'est ce que signifie être «moi», et ce «moi» n'est ni meilleur ni pire qu'un autre.

D'autre part, si la maladie nous ramène à nous-mêmes, paradoxalement, elle nous fait sentir comme étant partie intégrante de l'Univers. Le sentiment de sérénité que vivent les mourants, ils en font l'expérience lorsqu'ils se sentent connectés à tout ce qui les entoure. C'est ainsi qu'ils se dégagent de leur ego.

Vous souvenez-vous de cette femme dans le métro qui s'était fait pousser ? Par cet exemple, j'illustrais que notre colère ou notre frustration repose sur notre interprétation de la réalité. Nos sentiments et nos réactions viennent également du fait que nous accordons une grande importance à notre ego. Celui-ci peut enfler au point de créer ce que j'appelle des «bobos de l'ego». Ces petites ou grandes affections apparaissent lorsqu'on s'inquiète de notre image personnelle. Un proverbe français dit que «Quand l'orgueil chevauche devant, la honte et les dommages suivent de près». Ces dommages peuvent prendre la forme d'ulcères, de torticolis, d'insomnie ou d'autres troubles physiques et psychologiques.

L'ego loge dans notre cerveau, explique le neuropsychologue américain Rick Hanson. Il est formé de la conscience de nous-mêmes, mais surtout d'un souci constant pour notre *petite personne*. L'ego sert à nous défendre quand nous nous sentons menacés. Voilà la fonction de ce minuscule mot de trois lettres qui se prend pour un géant ! EGO. Mais nous ne sommes pas à ce point en danger, l'ego ne devrait occuper qu'une partie minime de notre cerveau, affirme Rick Hanson. Plusieurs problèmes viennent du fait qu'il occupe trop de place !

Il est ironique, poursuit Rick Hanson, que le «je» nous fasse tant souffrir. C'est comme ça quand on s'identifie à une chose, peu importe quoi, alors on souffre de la perdre. Nous nous identifions à tout, à notre statut (*je* suis une vedette, une championne, un papa adorable), à notre relation conjugale (*je* suis le conjoint de la merveilleuse personne qui m'a choisi), à notre emploi (*je* suis une thérapeute ou un médecin très apprécié), aux biens matériels (*je* possède une belle maison, une voiture de l'année, une garde-robe bien garnie). En vérité, une perte est un moment temporaire où nous confondons l'objet de la perte avec nous-mêmes. Nous avons l'impression de *nous* perdre parce que nous avons perdu *quelque chose*. Lorsque, pour un moment, nous nous imaginons faire partie de l'Univers, nous retrouvons un peu de tranquillité d'esprit.

Oublions notre individualité et sentons-nous connectés à l'Univers.

Les gens qui côtoient la mort découvrent qu'une façon d'être moins affectés personnellement par les épreuves est de cesser de se voir comme étant séparés de l'Univers. Lorsque leur ego se fond en arrière-scène, ils se sentent enfin paisibles. Ils aiment la personne qu'ils sont, mais ne s'identifient plus à leurs personnages. Ils se visualisent comme une simple particule, si unique soit-elle, parmi tant d'autres, dans l'Univers. Ainsi, ils se déchargent du poids de l'ego. Voulez-vous essayer? Voyez combien il est réconfortant de se dire que nous ne sommes... qu'une petite poussière dans l'infiniment grand; nos mauvais moments deviennent alors très relatifs!

Ne jouez pas au héros, soyez-en un!

La maladie nous force à nous incliner. Devant elle, on ne peut se prendre pour don Quichotte. D'autre part, il en faut peu pour réaliser que chaque personne sérieusement affligée accomplit un acte de bravoure. Celui de survivre, jour après jour, de supporter ses souffrances et de se mesurer à la mort. La ténacité dont les personnes très malades font preuve est comparable à celle des coureurs de fond qui réussissent à tenir le coup jusqu'à la fin de la course. Sauf que les grands malades, eux, ne reçoivent ni honneurs ni médaille à la fin.

Toutes les personnes dont j'ai mentionné le parcours exceptionnel dans ce livre sont des héros, à leur façon. Ce sont des hommes qui ont exercé leur ascendant dans leur milieu distinctif. Norman Cousins est devenu un pionnier dans la recherche sur les facteurs psychologiques de la santé. David Servan-Schreiber a été emporté par le cancer lors de sa rechute, mais il est à l'origine d'une meilleure compréhension des leviers qui favorisent la guérison. Eugene O'Kelly, pour sa part, est un homme d'affaires exemplaire dont la vision d'excellence s'est même appliquée à sa mort.

D'autres ont découvert un peu par accident qu'ils étaient des héros. C'est la perte de leurs facultés physiques, alliée à un caractère volontaire, qui les a poussés à réaliser des exploits. Dans le domaine sportif, Philippe Croizon est cet ouvrier qui a traversé la manche sans bras ni jambes, et Rick Hansen est celui qui a fait le tour du monde en fauteuil roulant. Cela me fait penser à un autre homme hors du commun qui, par contre, n'a rien d'un athlète ; sa force à lui, c'est l'intellect. Il s'agit de l'astrophysicien britannique Stephen Hawking, qui s'est fait connaître pour son originalité intellectuelle et son très lourd handicap. À 21 ans, il a su qu'il était atteint d'une maladie incurable, la maladie de Charcot, qui lui enlevait presque tout contrôle neuromusculaire. Cloué à son fauteuil roulant et contraint de s'exprimer à travers un ordinateur, d'où s'élève une voix métallique, il a employé son talent à décoder le cosmos. Sa notoriété lui a même valu d'apparaître dans le dessin animé *Les Simpsons,* dans lequel il dit à Homer : « Votre théorie sur un Univers en forme de beigne est fascinante ; je vais peut-être vous la voler ! » Maintenant, à l'âge de 70 ans, il continue de fasciner les gens dans le monde entier par le contraste entre ses capacités physiques très limitées et la nature extrêmement étendue de l'univers qu'il étudie.

D'autres hommes et femmes dont j'ai mentionné le parcours avaient une existence, disons, plus ordinaire que les précédents. Ce sont des quidams qui ne font pas les manchettes, mais leur récit est des plus inspirants. Mon ami Fernand vit encore, même si les médecins n'y comprennent rien. Nan Little, atteinte de Parkinson, a grimpé le Kilimandjaro à un âge avancé. L'ex-ingénieur Michael a tout quitté pour réaliser son rêve d'adolescence : passer ses journées au milieu des pommiers... De leur point de vue, chacun possède des possibilités plus grandes que nature qui lui permettent de devenir le héros de sa vie.

Devenons le héros de notre santé !

N'attendez pas un jour de plus

La plupart d'entre nous avons nos jambes, nos bras, et toutes nos facultés physiques et intellectuelles. Nous avons la vie devant nous ou l'espoir qu'elle durera encore un certain temps ; ce que les mourants n'ont pas ! Alors, quel est le courage d'une personne qui a tout ça ?

Ne dit-on pas que le courage se mesure aux épreuves ? A-t-on même une raison de se considérer comme « courageux » si notre épreuve se limite à vivre notre quotidien ? Si nos malaises se bornent à un mauvais rhume de temps en temps, à des courbatures ou même à quelques troubles plus sérieux ?

Il semble que oui. Peu importe l'ampleur des épreuves avec lesquelles nous sommes aux prises, nous pouvons faire preuve d'un type de courage bien particulier, et ce, chaque jour de notre existence. Il s'agit du plus *grand* courage de l'humain, comme le prétend le théologien et écrivain américain Paul Tillich ; celui qui consiste à être soi-même et à se révéler tel que l'on est.

Il n'est pas nécessaire d'être gravement malade, ni d'attendre un jour de plus pour manifester notre courage d'être en harmonie avec qui nous sommes vraiment, pour vivre selon nos plus profondes aspirations. En fait, le nombre de jours qu'il nous reste importe peu. Sept jours, cent jours ou des milliers... nous allons mourir, de toute façon. Demandons-nous comment nous désirons «vivre la vie que nous nous sommes imaginée», comme nous y invitait l'écrivain américain Henry James.

Voltaire avait décidé d'être heureux parce que, disait-il, c'est bon pour la santé. À nous de faire ce qu'il faut pour mettre toutes les chances de notre côté afin de reconquérir notre vitalité. Trouvons la fermeté d'âme qui nous permettra de croire en nous-mêmes, suivons les élans de notre cœur, amusons-nous avec nos amis, rions à gorge déployée, offrons-nous des moments de répit... et réalisons une à une les découvertes qui ont été révélées dans ce livre. Évitons ainsi de passer à côté de ce qui nous apparaîtra être *le plus important à nos yeux*, à la veille de quitter ce monde.

Ayons le courage de vivre une existence à notre image et de nous révéler tels que nous sommes.

Si vous pouviez recommencer votre vie...

À l'instar de Darwin, si vous pouviez recommencer votre vie, de quoi aurait-elle l'air ? Pour y réfléchir, mettez-vous dans la peau d'une personne malade ou souffrante. Imaginez que vous êtes sur votre lit de mort et que vous songez à l'existence que vous avez eue ou à celle que vous n'avez *pas* eue, mais que vous auriez souhaitée. Puis, visualisez qu'un miracle se produit... vous avez un sursis.

La durée de ce sursis dépend de la manière dont vous passerez chaque jour du reste de votre vie. Demandez-vous ce que vous aimeriez changer à votre quotidien, ce que vous souhaiteriez faire ou ne plus faire, ce que vous voulez dire ou ne plus dire...

Évitez les regrets

Repensez au palmarès des regrets des mourants. Chacun regrettait de ne pas avoir eu le courage de vivre sa vie à son image ou d'avoir cherché à répondre aux attentes des autres. Il s'en voulait d'avoir passé beaucoup de temps à travailler, de ne pas avoir vu grandir ses enfants ou de ne pas avoir été un compagnon plus présent. Il se blâmait de ne pas avoir eu l'audace d'exprimer ses sentiments. Il s'ennuyait de ses vieux amis. Enfin, il se mordait les doigts d'être resté dans ses vieilles pantoufles, d'avoir eu peur d'ajouter de la folie dans ses journées.

Maintenant, demandez-vous comment sera *votre* vie le jour où vous déciderez qu'elle est trop courte pour avoir des regrets. Posez-vous les questions suivantes, en considérant qu'il est toujours temps de donner une nouvelle orientation à votre existence.

- Dans quelles circonstances aurez-vous le cran d'être vous-même et de vous montrer tel quel ?
- Comment organiserez-vous vos semaines pour travailler suffisamment, mais pas trop, afin de vous garder du temps avec ceux que vous aimez ?
- Comment ferez-vous pour dire à ceux qui vous sont chers que vous les aimez et leur exprimer votre gratitude ?
- Par quels moyens retrouverez-vous vos vieux copains et chérirez-vous les amis sincères qui sont présents dans votre vie ?
- À partir de quand choisirez-vous d'être heureux, oserez-vous changer ce qui vous rend malheureux ou malade et mettrez-vous un peu de folie dans votre quotidien ?

La bucket list

Pour que votre vie soit à la mesure de vos aspirations, créez une *bucket list*. Inscrivez-y les projets, petits et grands, que vous voulez réaliser. Votre liste peut être constituée de gestes qui vous apporteront un plaisir quotidien ou des moments de détente, ou encore qui vous feront rire. Elle peut aussi comprendre des accomplissements de grande envergure qui donneront un sens à votre vie. Considérez surtout ce qui a une valeur intrinsèque à vos yeux, c'est-à-dire, ce qui ne s'achète pas.

Peu importe votre âge, votre condition physique, votre situation financière, votre statut… vous avez le droit d'avoir des rêves et le plein pouvoir de les réaliser. Maintenant, allez et… volez très haut !

Pense-bête pour les courageux

Point n'est nécessaire d'être malade
pour être nous-mêmes.

Prenons conscience que nous allons mourir un jour,
et transformons notre vie.

Évitons d'avoir trop de regrets à la veille
de notre mort.

Libérons-nous des personnages qui nous empêchent
de vivre pleinement.

Chaque jour, ayons le courage
de nous rapprocher de nous-mêmes.

Oublions notre individualité et sentons-nous
connectés à l'Univers.

Devenons le héros de notre santé !

Ayons le courage de vivre une existence à notre image
et de nous révéler tels que nous sommes.

CONCLUSION
Notre deuxième vie commence...
dès maintenant!

La nature insaisissable du décès de mon père m'a profondément secouée. Encore aujourd'hui, je me dis que personne ne devrait passer ses dernières années à attendre la mort, sans savoir quoi faire. À travers ma quête, j'ai donc tenté de donner un sens à cette histoire et voulu découvrir comment chacun peut surmonter la maladie, et améliorer sa santé et son bien-être.

Je dois néanmoins admettre que je n'ai pas trouvé... le mystère de la vie éternelle! Il semble qu'aucune baguette magique ne puisse nous épargner le boulevard des allongés. L'expérience de mon père m'a fait comprendre que la maladie ne fait de cadeau à personne. Qu'on soit monsieur le PDG ou madame une telle, quand on est très malade, on fait face à une image médiocre de soi-même. On ressemble à un clown triste dans sa jaquette, avec ses cheveux ébouriffés et son teint jaune. On est souffrant et quand l'issue est incertaine, on est très inquiet. Pour cette raison, on a envie d'implorer le médecin de nous sauver... un peu comme si on demandait à nos parents si le père Noël allait nous apporter des cadeaux, alors que nous n'avons pas été toujours sages. Le médecin, pour sa part, n'est pas à l'abri des mauvais coups du sort, il lui arrive d'avoir une journée bien ordinaire, de ne pas maîtriser la situation. Il se peut qu'il ne réussisse pas à trouver l'origine de notre mal, à nous soigner ni à nous garder en vie.

Après m'être représenté les défis auxquels font face ceux qui se trouvent de chaque côté du paravent, la personne malade et le médecin, j'ai pris connaissance de récits de gens qui connaissaient un plus bel aboutissement que celui de mon père. Pas nécessairement parce qu'ils s'en sortaient définitivement, mais parce qu'ils se servaient de la maladie pour améliorer leur existence. Ils se rendaient *maîtres* de leur vie, et y plantaient leur drapeau, comme l'a fait Neil Armstrong sur la Lune. Ils se tenaient debout, faisaient ce qu'ils voulaient faire, disaient ce qu'ils avaient à dire. Certains ont même fait mentir de très mauvais pronostics, en se rétablissant alors que cela semblait improbable.

Confucius disait qu'on a deux vies.
La deuxième commence quand on se rend compte
qu'on n'en a qu'une seule.

Les gens dont j'ai parlé dans ce livre ont pris conscience qu'il y a une deuxième vie *après* la maladie et, contre toute attente, que celle-ci peut être plus heureuse que celle qu'ils ont connue jusqu'à maintenant. Dans cette deuxième vie, souvent par la force des choses, ces gens ont simplifié leur quotidien et reconsidéré ce qui était vraiment important à leurs yeux. Du coup, ils ont éprouvé une légèreté sublime qui leur a permis de savourer leurs derniers jours.

Maintenant que nous savons cela, qu'est-ce que ça change pour nous? Qu'est-ce que ça aurait changé pour mon père? Si j'avais connu ces histoires exceptionnelles ou si j'avais été mise au fait de l'incroyable potentiel que chaque personne possède, est-ce que j'aurais pu délivrer mon père de ses souffrances et l'aider à reprendre sa destinée en main?

Si je pouvais revenir en arrière, j'aimerais lui offrir ce livre, raviver son espoir et peut-être que j'arriverais à changer le cours des choses. Mais je n'aurais pas de pouvoir absolu sur sa vie. On ne peut rien faire de plus pour les autres que de leur dire ce que l'on sait et tenter d'alléger leur souffrance. Puis, on doit espérer qu'eux-mêmes *fassent* quelque chose, car eux seuls peuvent remettre en question leur quotidien et le changer.

De toute façon, je n'aime pas me poser la question de ce que j'aurais *pu* faire. Je préfère me demander ce que je *peux* faire maintenant. Que puis-je faire pour… moi? Qu'est-ce que chacun peut faire pour lui-même? Pour ma part, je comprends qu'il est primordial d'utiliser les médicaments et les traitements à notre portée, lorsque ceux-ci nous soulagent et peuvent contribuer à notre rétablissement. Par ailleurs, je saisis l'importance d'activer nos propres ressources. Surtout, je suis dorénavant convaincue que si l'on met à profit nos propres remèdes, en plus de ceux que les spécialistes nous offrent, on n'a absolument aucune raison de se sentir coupable. On fait de notre mieux! On met toutes les chances de notre côté pour reconstruire notre mieux-être.

Je ne sais pas ce qu'il en est de vous, mais moi, je termine ce livre avec l'envie très forte de transformer ma vie… avant que la maladie ne survienne. Et, dans les circonstances où un grand mal s'imposerait à moi, je tiens à tirer des leçons de l'expérience de ceux qui ont trouvé le secret de vivre mieux malgré leur douleur.

Une première chose m'a marquée en prenant connaissance des histoires de gens qui ont dû affronter la maladie: ils reviennent tous à des choses simples. Ils démissionnent de leur emploi prestigieux, laissent tomber une passion qui les exténue, se défont d'un paquet de futilités qui font obstacle au bien-être durable.

En ce qui me concerne, j'ai fait l'erreur de confondre une vie satisfaisante avec une vie remplie à ras bord. J'ai pensé notamment qu'être riche, c'était vivre dans l'abondance matérielle. En suivant cette logique, j'ai gagné ma vie, mais j'ai perdu plusieurs années qui ne reviendront jamais. Quelqu'un m'a déjà raconté qu'un homme fortuné, très apprécié de ses amis, avait demandé que le jour de son enterrement, tout l'argent qu'il avait accumulé soit étalé au sol, près de sa tombe. Dans son cercueil, il ordonnait que ses mains soient laissées ouvertes, les paumes vers le ciel. Les gens qui viendraient à ses funérailles allaient comprendre que l'argent ne le suivrait pas dans l'au-delà. On arrive sur la terre les mains vides, on en repart les mains vides, déclarait-il.

Ce que l'on n'apportera pas dans notre tombe — les motifs de nos tracasseries et les biens matériels — ne mérite pas qu'on lui accorde *autant* d'importance. Alors, est-il envisageable de vivre plus heureux avec... moins ? Moins de vêtements dans notre penderie, moins d'argent dans notre compte en banque et, tant qu'à y être, moins de diplômes sur nos murs, moins d'amis Facebook... N'est-ce pas ce qu'on appelle la simplicité volontaire ? Ce style de vie à contre-courant exige beaucoup d'indépendance d'esprit pour l'épouser alors qu'on n'est ni malade ni fauché, et qu'on a de l'instruction, des gens aimables qui nous veulent comme ami...

Si je n'avais pas connu une expérience personnelle bien particulière, il me serait difficile de me convaincre de la valeur de la simplicité volontaire. Cette expérience a eu lieu l'an dernier. Durant un long séjour en Australie et en Nouvelle-Zélande, j'ai vécu avec pour seuls bagages un sac de vêtements, un peu de vaisselle et un portable. Les seules questions de la journée étaient : «Qu'allons-nous manger ? Où allons-nous dormir ? Où nous rendrons-nous demain ?» Parce que les journées étaient désencombrées, je constatais à quel point le temps semblait au ralenti. En savourant le moment présent, je vivais «une semaine dans un seul jour», comme l'écrivait Eugene O'Kelly.

Au retour, par contre, j'ai eu un choc. Ma maison m'a paru immense. Le quotidien surchargé. Plusieurs personnes m'attendaient, j'avais des manuscrits à écrire, des cours à préparer, des conférences à donner et des comités auxquels je devais participer... Je roulais à fond de train. J'étais agitée le jour comme la nuit... cela ne ressemblait guère aux derniers mois sublimes que j'avais passés à l'étranger et ce n'était pas la vie à laquelle j'aspirais.

Alors, vous savez ce que j'ai fait ? Au bout de quelques mois à me sentir de plus en plus mal, j'ai pris une décision importante. Celle-ci allait me faire vivre de l'insécurité, mais d'un autre côté, elle allait m'apporter un bonheur au quotidien. J'ai déménagé dans une maison coquette, mais toute petite ; dans un endroit enchanteur qui me donne l'impression d'être en camping toute l'année. Je me suis forcée à réduire ma liste de choses à accomplir *absolument* ; pas plus de quelques obligations chaque jour. J'apprends à dire « non » avec diplomatie, mais ça, c'est l'apprentissage de toute une vie. Je retrouve peu à peu le sentiment d'apaisement qui vient avec… une vie simple.

Et vous, avez-vous une idée du genre de vie auquel vous aspirez ? Savez-vous ce que vous devriez changer pour délester votre existence ? Quel premier pas vous apporterait un bonheur au quotidien ?

Voulez-vous vous offrir une vie simple ?

Il arrive qu'on se prenne trop au sérieux. On se comporte comme si l'on était sous le feu des projecteurs en permanence. On joue à la personne parfaite et indispensable qui a une réputation. On marche avec les fesses serrées, on pèse chacun de ses mots, on ne rit pas ! Au contraire, si l'on attachait une importance moins exagérée à notre personne, si l'on n'avait pas honte de nos bêtises, si l'on se roulait par terre de temps en temps… on serait plus heureux. Et probablement moins affligé.

Une grave maladie et les effets secondaires des traitements — les cheveux qui tombent, les nausées… — nous font perdre nos illusions de grandeur. Cela, en plus des coups durs, des erreurs de parcours, des effets visibles de l'âge, qui nous rendent humbles. De façon surprenante, « l'humilité nous rend invulnérables ». Cette expression de l'auteur autrichienne Marie Von Ebner-Eschenbach nous fait réaliser que lorsqu'on n'a plus rien à perdre, on ne craint plus rien.

Il n'y a pas que les événements qui nous rappellent notre statut d'humain, il y a aussi les membres de notre famille et les copains. Avec eux, n'essayez pas de vous *prendre* pour un autre, ils vous connaissent bien. Ils vous obligent à retirer les masques qui sont lourds à porter et vous aident à vous montrer sans artifice. C'est l'effet qu'un de mes amis a sur moi...

Lui et moi, nous entendons très bien et nous passons beaucoup de temps ensemble. Mon ami n'aimait pas l'école ; il a donc cessé ses études après avoir terminé le secondaire et s'est trouvé un travail dans une manufacture. Lui, un gars d'usine et moi, le professeur d'université, il semble que nous soyons dépareillés. Pourtant, nous sommes pareils.

Il m'emmène parfois marcher sur sa terre à bois, le coin de paradis où il chasse le chevreuil. Un jour, dit-il, il se réfugiera dans sa cabane, il prendra soin des animaux, il cultivera son jardin, creusera un lac et y mettra des poissons. Quand nous nous y rendons, et que nous partageons nos rêves, j'ai le sentiment qu'il n'y a rien de plus beau que la vie que nous imaginons. L'autre jour, il m'a invitée à vivre le moment présent comme si c'était le dernier. Nous étions au milieu de sa terre, entourés d'arbres vêtus de feuilles d'automne, la brunante s'installait... En revenant, je me suis dit que je pouvais mourir maintenant, car j'avais vécu un si merveilleux moment !

Le poète et écrivain anglais Gilbert Keith Chesterton a déjà déclaré que pour l'homme humble, et pour lui seulement, le soleil est vraiment un soleil ; pour l'homme humble, et pour lui seulement, la mer est vraiment une mer. Quand j'accompagne mon ami, et que nous regardons tout ce qui nous entoure avec notre cœur, j'ai le sentiment que nous goûtons à la *vraie vie*.

Vous arrive-t-il de vivre des moments où vous vous sentez simplement vous-même ? Où vous considérez les choses avec votre cœur ? Où vous avez l'impression d'être une petite particule dans l'Univers, en connexion avec ce qui vous entoure ?

Voulez-vous goûter à la vraie vie ?

Il n'y a sans doute pas une seule personne ayant connu un épisode de maladie grave qui s'est dit : « Si ma santé revient, je resterai exactement la même. » Le véritable défi d'une vie heureuse après la maladie est de commencer un scénario différent de celui que l'on joue et rejoue depuis des années.

Les gens dont j'ai raconté le récit dans ce livre se sont donné des habitudes plus saines ; par exemple, ils font la sieste en après-midi ou une marche quotidienne. D'autres n'y ont pas été de main morte, ils ont dépassé leurs limites physiques et sont devenus des héros. Leurs histoires me renversent. J'éprouve de la fascination pour l'existence qu'ils ont eue et un immense respect devant leur courage. Par ailleurs, je suis presque déroutée par tant de détermination et je me sens lâche, tout à la fois. Aussi, je me pose mille questions. Je me dis que je n'ai pas la trempe de ces gens…

Cela étant dit, et si je me fie à ce qu'écrit La Rochefoucauld, « le bonheur n'est pas un événement, c'est une aptitude ». Cette aptitude repose sur la manière dont on perçoit les événements. Cela revient à dire que si l'on n'a pas l'audace de faire des gestes héroïques, dès aujourd'hui ou de transformer notre vie, d'un bout à l'autre, on peut commencer par modifier la façon dont on approche notre existence. On ne veut pas toujours quitter notre « zone de confort », comme on dit, alors soit ! On peut apprendre à voir autrement notre quotidien ordinaire, mais sécurisant. Et l'un des moyens les plus puissants qui s'est révélé dans ce livre est de considérer le moment qui passe comme un *moment parfait*.

Prendre conscience qu'un jour on perdra tout ce qui nous comble présentement nous amène à l'apprécier beaucoup plus. On s'émerveille alors devant de petites choses : une caresse délicate, un mot gentil, un cœur qui bat, tout comme l'odeur des saisons, la densité d'un silence, la douceur d'un sentiment… Ces petites choses anodines se transforment en autant d'étincelles qui mettent de la magie dans notre quotidien. Chaque rencontre avec une personne qu'on aime devient un cadeau que l'on honore. Quand on se demande quels souvenirs on aimerait en garder, si c'était notre *dernière fois*, notre présence à l'autre devient mille fois plus intense. Le temps cesse en quelque sorte, rien ne nous absorbe plus que l'instant présent.

Que diriez-vous de faire l'expérience d'être totalement là, dans l'instant présent? Faites-le vraiment. Arrêtez-vous... soyez présent...

Puis, avez-vous envie de partager des moments parfaits avec ceux que vous aimez, en vous imaginant que... c'est votre dernière fois? Et si vous faisiez une liste des personnes qui vous ont touché au fil de votre vie, que vous aimeriez revoir avant de quitter la Terre pour leur dire merci? Ces gestes, mis bout à bout, vous donneront le sentiment d'être plus vivant que jamais.

Voulez-vous vivre des moments parfaits?

Malgré les occasions d'émerveillement et de présence à l'autre, on peut avoir l'impression que notre vie ordinaire continue de filer à toute allure. Nos semaines peuvent être exténuantes. Elles peuvent ressembler à un tourbillon.

L'autre jour, je songeais à mon chat et j'ai eu une révélation! J'ai pensé que les gens se trompent quand ils prétendent que les humains sont plus intelligents que les animaux. Mon chat se réveille, s'étire, grignote, sort faire ses besoins, joue un peu, puis il se trouve un coin chaud, se roule en boule et s'assoupit de nouveau. J'appelle ça avoir *l'art de vivre*!

Sommes-nous vraiment brillants? On voit la vie comme un élastique qu'on peut étirer tant qu'on veut. On mène une course pour répondre à tous nos engagements. On est obsédé par nos désirs. En fait, il n'y a que les animaux qui savourent l'instant présent... et les enfants... et les mourants! Que diriez-vous d'être comme eux, à l'occasion, et d'acheter du temps? Que diriez-vous d'imiter mon chat, de vous installer confortablement, de fermer les yeux quelques instants et de plonger dans une pause brève, mais réparatrice? Que pensez-vous de l'idée d'apporter un petit coussin au bureau pour y poser votre tête cinq minutes après le repas du midi? Le week-end, de vous offrir quelques moments de silence et de solitude? De mettre le nez dehors et de profiter des bienfaits de la nature?

Voulez-vous vous offrir un répit?

Une dernière chose. Les gens qui ont apprivoisé leur finitude après avoir vu la lumière au bout du tunnel connaissent la sérénité et n'ont plus peur de la mort. Si, comme eux, vous n'aviez pas peur, que feriez-vous? Vivriez-vous à votre image et selon vos aspirations? En d'autres mots, oseriez-vous faire ce que vous voulez faire et dire ce que vous voulez dire?

Récemment, j'ai retrouvé un copain d'enfance. Il m'a confié qu'il avait été atteint d'un cancer; sa maladie l'avait ensuite plongé dans une profonde dépression. Accompagné par son thérapeute, il avait fait le bilan d'une vie «à la dure» avec un père horriblement humiliant. Tout au long de son enfance, il avait ravalé son chagrin, sa frustration et sa colère. Pour éviter de créer des remous, il était devenu un fils docile et, plus tard, un mari parfait, sans y trouver son propre compte. Il s'était marié à une femme qu'il aimait, mais qui ne partageait pas ses passions. Au travail, il avait l'impression de presser le citron puis de n'avoir plus de jus.

Mon copain considérait qu'il était temps pour lui de se libérer de ses démons et de s'offrir une existence authentique. Il a quitté sa femme et s'est déniché un petit appartement dans lequel il a disposé des affiches d'endroits magnifiques qu'il voulait découvrir. Il s'est remis à la course. Il a négocié de nouvelles conditions de travail. Puis, il a commemcé sa *bucket list*.

Voilà quelques mois, j'ai reçu une photo de lui prise au sommet d'une haute montagne dans le New Hampshire, aux États-Unis. Il venait d'accomplir son premier rêve.

C'est à mon copain que je pense aujourd'hui en écrivant les dernières lignes de ce livre. C'est aussi à chacun de nous, et à *vous* en particulier. Vous avez la chance de commencer une «deuxième vie». Vous avez tout ce qu'il faut pour connaître les plus beaux moments de votre existence. Vous avez des rêves, des talents, des idées. Surtout, vous avez ce que d'autres n'ont plus… de nombreuses années qui n'attendent que d'être vécues pleinement.

Voulez-vous commencer votre deuxième vie dès maintenant?

BIBLIOGRAPHIE

ANDRÉ, Christophe. *Imparfaits, libres et heureux*, Paris, Odile Jacob, 2006.

BEGLEY, Sharon. *Train Your Mind, Change Your Brain*, New York, Ballantine, 2007.

BISSONE JEUFROY, Évelyne. *Quatre plaisirs par jour, au minimum*, Paris, Payot et Rivages, 2010.

BOUKARAM, Christian. *Le pouvoir anticancer des émotions*, Montréal, Les Éditions de l'Homme, 2011.

BRILLON, Monique. *Les émotions au cœur de la santé*, Montréal, Les Éditions de l'Homme, 2009.

CORNEAU, Guy. *Revivre !*, Montréal, Les Éditions de l'Homme, 2010.

COUSINS, Norman. *Comment je me suis soigné par le rire*, Paris, Payot, 2003.

COUSINS, Norman. *La biologie de l'espoir*, Paris, Seuil, 1991.

FECTEAU, Danielle. *L'effet placebo*, Montréal, Les Éditions de l'Homme, 2004.

FRANKL, Viktor. *Découvrir un sens à sa vie*, Montréal, Les Éditions de l'Homme, 1993.

HALEY, Jay. *Un thérapeute hors du commun : Milton H. Erickson*, Paris, Desclée de Brouwer, 1995.

HANSON, Rick et Richard MENDIUS. *Buddha's Brain*, Oakland, New Harbinger, 2009.

JANSSEN, Thierry. *Le défi positif*, Paris, Les liens qui libèrent, 2011.

KABAT-ZINN, Jon. *Où tu vas, tu es*, Paris, J'ai Lu, 2004.

KAHNEMAN, Daniel. *Thinking Fast and Slow*, Toronto, Doubleday Canada, RandomHouse, 2011.

MANDEVILLE, Lucie. *Le bonheur extraordinaire des gens ordinaires*, Montréal, Les Éditions de l'Homme, 2010.

MANDEVILLE, Lucie. *Soyez heureux sans effort, sans douleur, sans vous casser la tête*, Montréal, Les Éditions de l'Homme, 2012.

MARQUIS, Serge. *Pensouillard le hamster*, Montréal, Transcontinental, 2011.

O'KELLY, Eugene. *Chasing Daylight*, New York, McGraw-Hill, 2008.

SAINT-ARNAUD, Yvon. *La guérison par le plaisir*, Montréal, Novalis, 2005.

SAVARD, Josée. *Faire face au cancer avec la pensée réaliste*, Québec, Flammarion, 2010.

SERVAN-SCHREIBER, David. *On peut se dire au revoir plusieurs fois*, Paris, Robert Laffont, 2011.

YOUNG, Terence. *Mourir sur ordonnance*, Montréal, Écosociété, 2011.

VAILLANT, George. *Spiritual Evolution*, New York, Broadway, 2008.

WHITE, Michael et David EPSTON. *Narrative Means to Therapeutic Ends*, New York, W. W. Norton, 1990.

REMERCIEMENTS

Ce livre ne serait rien sans les histoires lues et les témoignages entendus de personnes ayant connu la maladie ou la mort. Je leur suis profondément reconnaissante pour ce qu'elles ont apporté à ce livre et à ma propre vie.

Je tiens également à exprimer ma gratitude envers mes amis médecins qui ont partagé leurs points de vue avec moi, en toute authenticité.

Enfin, je veux remercier Pascale Mongeon, ma précieuse collaboratrice, et les Éditions de l'Homme, qui ont cru que cet ouvrage pouvait apporter de l'espoir aux lecteurs.

Je vous invite à consulter mon site officiel :
luciemandeville.com

TABLE DES MATIÈRES

Suivez-nous sur le Web

Consultez nos sites Internet et inscrivez-vous à l'infolettre pour rester informé en tout temps de nos publications et de nos concours en ligne. Et croisez aussi vos auteurs préférés et notre équipe sur nos blogues!

EDITIONS-HOMME.COM
EDITIONS-JOUR.COM
EDITIONS-PETITHOMME.COM
EDITIONS-LAGRIFFE.COM

Achevé d'imprimer au Canada